D1223686

CAMILLE BRISSOT

La Maison des reflets

SYROS

Hors-série
Sous la direction de Denis Guiot

ISBN : 978-2-74-852324-9

25, avenue Pierre-de-Coubertin, 75013 Paris

Prologue

La foule s'était lentement répandue dans les allées, charriant son cortège de rires et d'exclamations entre les stands colorés.

Les forains étaient arrivés en ville trois jours plus tôt. Ils avaient passé une nuit à monter les attractions sur le terrain vague et, lorsque le matin était venu, les habitants avaient découvert la silhouette de la grande roue qui se découpait sur le ciel pâle. Il avait fallu un peu de temps pour que les premiers curieux osent approcher – d'abord les bandes d'adolescents qui avaient pour habitude de tromper leur ennui en traînant autour des manèges à sensation, puis, à mesure que la matinée avançait et que le soleil s'élevait dans le ciel, des familles et des couples qui flânaient d'un stand à l'autre.

Assise derrière le guichet du *Palais des Glaces*, Esther balaya machinalement les alentours du regard. Des enfants couraient, tirant derrière eux une grappe de ballons rouges. Un peu plus loin, au tir à la carabine, un petit attroupement s'était formé autour d'un garçon qui semblait bien parti pour remporter le gros lot. Des sifflets admiratifs et des applaudissements retentirent lorsqu'il fit exploser la dernière cible. Le héros du jour se retourna pour saluer ses spectateurs, ôta sa casquette noire et effectua une révérence, faisant pouffer plusieurs filles. Quelques secondes plus tard, les badauds se pressaient autour des fusils à plomb pour tenter de briller à leur tour.

Esther détourna les yeux, indifférente. La fête était un monde de couleurs et de bruits : au-dessus des attractions, enseignes et flèches lumineuses clignotaient de toutes leurs forces pour attirer l'attention des visiteurs, tandis que la musique se déversait des haut-parleurs et se mêlait aux boniments des forains. Mais rien de tout cela n'émouvait plus Esther. C'était sans doute normal – quand on était né au milieu d'une foire, il n'y avait plus d'émerveillement ni de magie. C'était simplement le quotidien.

Elle adressa un sourire mécanique au couple qui lui faisait face.

– Bienvenue au *Palais des Glaces* ! dit-elle en faisant glisser deux billets sous la vitre.

La seconde suivante, un mouvement attira son attention. Dans le petit miroir installé au-dessus du guichet, Esther vit la porte de la caravane familiale s'ouvrir derrière elle. Et dans le rectangle de pénombre apparut une jeune fille en chemise de nuit blanche. Ses longs cheveux blonds accrochaient la lumière du soleil, formant un halo clair autour de sa tête. Ses jambes tremblaient un peu. Elle resta immobile un instant, cligna des paupières, puis elle descendit les deux marches métalliques avant de se planter sur le sol et de lever les yeux au ciel.

– Excusez-moi, dit Esther à la mère de famille qui s'était présentée, flanquée de ses deux enfants. J'en ai pour une minute.

Elle s'extirpa de sa cabine et rejoignit sa sœur en courant.

– Violette ! cria-t-elle. Bon sang, qu'est-ce que tu fais ? Qu'est-ce qui t'arrive ?

La jeune fille tourna la tête dans sa direction, un sourire léger flottant sur son visage. Ses traits étaient pâles et tirés, mais elle semblait plus sereine qu'elle ne l'avait jamais été ces derniers mois.

– Du calme. Je vais bien ! Regarde.

Elle prit la main de sa sœur et la posa sur sa poitrine pour lui prouver qu'elle ne mentait pas. Esther ouvrit des yeux ronds. Sous ses doigts, le cœur de Violette battait normalement. Inconsciemment, Esther ralentit le rythme de sa propre respiration pour le caler sur celui de sa jumelle.

– Qu'est-ce qui se passe ? murmura-t-elle, les yeux embués par l'émotion.

Violette sourit.

– Un répit, je crois.

Elles restèrent ainsi, immobiles.

Ceux qui les voyaient pour la première fois se demandaient toujours comment l'on pouvait être aussi semblables et différentes à la fois. Violette était la lumière et le rire, celle que l'on remarquait dans la rue, celle à qui l'on souriait, celle que l'on aimait aussitôt. Esther était son exacte copie en négatif, introvertie et silencieuse. Tout en elle paraissait plus sombre que chez sa jumelle : ses cheveux, d'un blond foncé, presque châtain ; ses yeux, gris de pluie plutôt que bleus ; son expression, sa démarche, ses vêtements, ses pensées.

À leur naissance, quinze ans plus tôt, Violette était déjà vive et souriante. Esther, elle, avait été un bébé si chétif et geignard que ses parents étaient persuadés qu'elle avait hérité de la malédiction familiale. Il leur avait fallu douze ans pour comprendre leur erreur : le mauvais sort, ce grippage de cœur qui avait emporté la moitié de leurs ancêtres, avait choisi Violette.

Longtemps, la maladie était restée en sommeil. Peut-être ne faisait-elle pas le poids contre la lumière qui émanait de la jeune fille ? Puis il y avait eu ce maudit jour de mai, où Violette s'était brutalement évanouie au pied de la grande roue.

Une période étrange s'était alors amorcée, entre tristesse et incrédulité. Plus Violette faiblissait et plus sa jumelle se renfermait – Esther avait l'impression de lire du reproche dans les yeux de ses parents lorsqu'ils la regardaient. « Pourquoi Violette ? » devaient-ils se demander. Elle se posait la même question. Et elle n'avait pas la réponse.

– Si tu savais comme c'est agréable, murmura Violette en tendant son visage vers le ciel. Ne plus voir le soleil à travers les vitres de la caravane, mais le sentir sur ma peau, comme un fourmillement qui la ramène à la vie... C'est grisant.

Elle prit une profonde inspiration. Le parfum de la barbe à papa se mêlait à l'odeur du bitume chauffé par le soleil et à celle de la graisse dont on enduisait les mécanismes des attractions.

– Je vais prévenir les parents, dit Esther.

Violette l'arrêta aussitôt :

– Non ! Surtout pas. Tu les connais, ils me forceront à me recoucher, à me reposer... Je ne veux pas retourner à l'intérieur. Je veux juste profiter de la journée. (Elle ajouta d'un ton suppliant :) Avec toi. Le ciel est si bleu !

Esther hésita un instant.

Elles étaient jumelles, capables de voir clairement l'une en l'autre. Les jambes de Violette tremblaient toujours un peu, à cause de tout le temps qu'elle avait passé allongée, mais son cœur battait sereinement, son souffle lui obéissait à nouveau, et une envie dévorante de bouger, de respirer, de vivre émanait d'elle.

– D'accord, dit enfin Esther. Donne-moi une minute.

Devant le guichet du *Palais des Glaces*, les gens commençaient à s'impatienter. Esther fila jusqu'à l'allée principale, cherchant un visage connu parmi les badauds... Elle le trouva finalement à l'arrière du train fantôme.

– Hé, Martin ! appela-t-elle. J'ai besoin que tu me rendes un petit service !

Un jeune homme se retourna. Âgé d'une vingtaine d'années, il avait le teint hâlé et portait une casquette noire. C'était lui qui s'était attiré les applaudissements des gens, un peu plus tôt, au stand de tir. Il fronça les sourcils en voyant approcher Esther, comme s'il pressentait un mauvais coup.

– Ah ouais ? répliqua-t-il. Et quel genre de service ?

– Me remplacer au guichet du *Palais des Glaces* pour la journée.

Martin ouvrit la bouche pour protester, mais Esther ne lui en laissa pas le temps. Elle lui expliqua rapidement ce qui venait de se passer. Le prénom de Violette agissait toujours comme un puissant sésame auprès des forains, et cette fois-là ne fit pas exception. Le jeune homme poussa un soupir exagéré, enleva sa casquette qu'il glissa dans sa poche et ébouriffa ses cheveux.

– OK, OK, lâcha-t-il. Mais si on me reconnaît, tu devras m'aider à gérer le scandale.

Esther esquissa un sourire, puis se dépêcha de rejoindre sa sœur dans la caravane. Violette en avait profité pour se changer et passer une robe aussi bleue que le ciel.

– Alors, quel est le programme ? demanda Esther.

– Pas de programme, répondit Violette en la prenant par le bras. On se mêle aux gens, comme si j'étais normale, comme si on était comme eux !

Et elle l'entraîna vers la porte.

Plus tard, Esther se souviendrait de ce moment comme d'une parenthèse enchantée à laquelle elle allait longtemps se raccrocher. Elle et Violette, main dans la main, courant d'une attraction à l'autre, le rire de sa sœur tintant joyeusement à ses oreilles… Mais cela ne pouvait pas durer, bien sûr. Sa jumelle brillait si fort qu'elle finissait toujours par attirer quelqu'un.

Cette fois-ci, ce fut un garçon qui se tenait seul au milieu d'une allée, l'air perdu. Violette croisa son regard.

S'arrêta.

– Qu'est-ce qu'il y a ? demanda Esther.

– Regarde-le, murmura-t-elle. Lui, là-bas. Il a quelque chose de… différent, non ?

Violette avait déjà lâché la main d'Esther pour marcher à la rencontre du garçon, un sourire intrigué aux lèvres.

QUELQUES SEMAINES PLUS TÔT

1

La porte de l'atelier est en train de se refermer. J'accélère, bloque le battant du pied, puis je me glisse derrière, entrant aussi silencieusement que possible. En temps normal, mon père n'aurait jamais toléré une telle intrusion. Mais il faut croire qu'il a l'esprit occupé par son invitée du jour.

La journaliste avance, faisant claquer ses talons contre le carrelage immaculé. Je l'ai vue arriver une demi-heure plus tôt, pendant que je rêvassais en observant le parc, derrière la fenêtre de la salle de cours. Mme Elia, ma préceptrice, s'était lancée dans une leçon de philosophie qui ne me passionnait pas particulièrement. Alors j'ai profité de ma pause de l'après-midi pour filer en douce. Cette visite n'est pas un événement en soi, mon père reçoit souvent des journalistes. Mais lorsqu'on s'ennuie, il en faut peu pour attiser sa curiosité, non ?

Je me coule derrière un gros fauteuil en cuir avant d'être repéré et la détaille d'un coup d'œil. Une trentaine d'années. Des pommettes hautes qui creusent ses joues, des yeux en amande, ourlés d'une rangée de cils noirs. Son nez est intéressant, un peu busqué, il lui donne un air frondeur. J'aime bien sa démarche, aussi. À chaque pas, ses cheveux blonds ondulent sur ses épaules à la manière d'un rideau de lumière pâle. Elle est mince, presque maigre dans sa robe noire, et elle porte une besace de cuir en bandoulière. Comment s'appelle-t-elle, déjà ? Ah oui. Daphné Maris.

Elle s'est immobilisée au milieu de la salle, examinant les lieux comme si elle voulait enregistrer les moindres détails. Son regard se pose sur le tableau accroché près de l'entrée : *L'Île des morts,* de Böcklin, héritage de mon grand-père et unique élément de décoration de l'atelier. Sur la toile, une silhouette blanche se dresse à l'avant d'une barque, qui vogue en direction d'un îlot de rocaille et de cyprès.

La voix de la journaliste s'élève, résonnant étrangement dans le grand atelier aseptisé :

– Alors c'est ici que bat le cœur de la célèbre Maison Edelweiss, la plus connue des Maisons de départ ?

Mon père émet un petit rire surpris. Un début de barbe ombre ses joues, de larges cernes creusent son regard, ses cheveux sont trop longs et bouclent sur ses tempes, mais il a au moins fait l'effort d'enfiler une chemise repassée. Est-ce à cause de la chemise, justement, qu'il semble différent ? Ou peut-être est-ce parce que je n'ai pas l'habitude de le voir interagir avec d'autres gens. Face à la journaliste, il paraît moins fuyant.

– Le choix des mots est curieux, répond-il finalement, mais oui, on peut dire ça comme ça.

– J'imagine que je ne peux pas filmer ? continue-t-elle.

– Vous ne pourriez même pas essayer. L'atelier est protégé par un brouilleur.

Il s'approche de la table transparente qui trône au milieu de la salle, effleure la surface tactile d'un doigt. Des graphiques et d'interminables lignes de code surgissent, tandis que les écrans muraux s'animent. Dans le cylindre de projection installé à sa droite, une silhouette s'est matérialisée, qui entame une lente rotation sur elle-même. Je me penche en avant pour mieux voir. Mon père n'est jamais très loquace quand il s'agit de parler de ses travaux, et les portes de l'atelier me sont normalement fermées.

Le reflet que je découvre est celui d'une jeune femme aux hanches rondes et au corps piqueté de grains de beauté. Je dois avouer que je suis un peu déçu.

Ce n'est encore qu'une ébauche : si la silhouette est esquissée, le tout reste grossier et le visage n'est qu'un masque flou.

– C'est…

– Un futur reflet, oui, répond mon père. Je travaille dessus depuis cinq jours.

– Comment l'avez-vous modélisé ?

Un coin de la salle est resté dans l'ombre. Papa fait un pas dans cette direction. Un néon blanc s'allume, révélant un mur dans lequel se découpent plusieurs compartiments métalliques – des caissons réfrigérants. L'un d'eux a été tiré de son logement et repose désormais sur un chevalet d'aluminium. La journaliste se fige. Elle a compris ce dont il s'agissait.

– Approchez, dit mon père d'une voix douce.

Elle obéit et se penche au-dessus de la paroi de verre du caisson. Je vois son visage se tendre, hésitant un instant entre fascination et répulsion. Ses yeux s'échappent pour filer jusqu'à la silhouette qui tourne toujours dans le cylindre de projection.

– C'est elle ? murmure-t-elle.

Papa hoche la tête.

– Elle s'appelle Julia. Dix-neuf ans, tumeur cérébrale fulgurante.

– Vous parlez d'elle au présent, remarque la journaliste.

Mon père pousse un soupir.

– Vous savez, depuis son arrivée à la Maison, je vis en quelque sorte avec elle. Je me plonge dans ce qu'elle est, dans ce qu'elle constitue pour ses proches… Alors évidemment, elle est *présente* à mes yeux. Voulez-vous que je vous montre comment l'on crée un reflet ?

Elle acquiesce.

Papa regagne sa table de travail. Ses doigts dessinent un schéma compliqué sur la surface tactile, mettant en mouvement la silhouette de Julia. Ses contours ondulent, la peau pâlit jusqu'à s'effacer pour de bon, révélant une ossature virtuelle faite de milliers de lignes blanches. J'observe la scène avec attention, bien décidé à ne pas en perdre une miette. Je connais tout ça. La création d'un reflet, les techniques de modélisation, les outils… Enfin, je connais la théorie. Mais c'est quand même autre chose de voir mon père à l'œuvre.

– Le caisson réfrigérant ne se contente pas de préserver le corps de la personne, explique-t-il. C'est aussi un scanner extrêmement précis. Il me permet de créer une première modélisation 3D du corps, que je dois ensuite transformer en un double parfait. Pour cela, je m'appuie sur tout ce que peut me fournir la famille. Des photos, des vidéos, des souvenirs…

Comme pour souligner ses paroles, des images se mettent à défiler sur les écrans qui l'entourent. Je reconnais Julia sur les clichés, enfant, puis adolescente.

– Mais la création d'un reflet n'est pas seulement une question d'exactitude physique, poursuit papa. Au-delà de l'apparence, il y a la personnalité, le caractère, la façon d'être... C'est là que mon travail se complique. Car pour faire revivre le disparu, je dois d'abord m'efforcer de le *comprendre.*

– Et comment vous y prenez-vous ? demande Daphné.

– Je discute longuement avec ceux qui le connaissaient. Je leur pose beaucoup de questions : comment s'exprimait-il, comment riait-il, comment bougeait-il ? Bien sûr, toutes les Maisons de départ ne poussent pas l'effet de réalisme à ce degré. Mais c'est très important pour moi. Je me considère un peu comme un peintre impressionniste, posant une à une des touches de couleur, jusqu'à ce que le tableau apparaisse dans son ensemble. Que le pinceau dérape une fois, une seule, et l'harmonie est rompue... Vous comprenez ? Nous nous focalisons sur des détails parce que ce sont eux qui constituent l'essence d'une personne. Et parce que c'est cette essence que nous voulons offrir à nos visiteurs, là où les autres Maisons de départ se contentent d'une simple image.

La journaliste réfléchit un instant, puis déclare :

– Vous leur promettez un reflet en quatre dimensions plutôt qu'en trois.

– C'est une bonne formule.

Il passe ensuite quelques minutes à lui montrer les étapes qui succèdent à la modélisation du reflet. Les lignes blanches disparaissent à nouveau, la silhouette se colore doucement, jusqu'à retrouver l'exacte teinte de la peau de la jeune femme qui repose dans le caisson. Mais je n'ai pas le temps d'en voir davantage. On frappe soudain à la porte de l'atelier.

Un seul coup.

Puis la porte pivote et une Mme Elia aux joues roses d'irritation fait irruption dans la salle.

– Votre fils m'a fait faux bond, annonce-t-elle.

– Encore ? réplique mon père. Je ne l'ai pourtant pas vu de l'après-midi, Elia. Il doit être fourré quelque part dans le parc...

– Je ne pense pas.

Je me plaque contre le fauteuil en suspendant ma respiration. Raté : l'ombre de ma vieille gouvernante m'enveloppe. Je relève la tête. Derrière ses drôles de petites lunettes papillon, Mme Elia me fixe d'un air sévère.

– Maintenant que vous en avez terminé avec l'escapade du jour, pouvons-nous retourner en classe, Daniel ?

Je la suis sans broncher. En sortant de l'atelier, je croise le regard surpris de mon père et celui, curieux, de la journaliste.

2

Elle ne dit pas un mot, ne me regarde même pas tandis que nous gravissons les escaliers qui conduisent à l'étage et aux quartiers privés de la Maison. Mais un détail me chiffonne.

– Vous pouvez entrer dans l'atelier ?

– Pardon ? répond sèchement Mme Elia.

Tout à l'heure, elle n'a pas eu besoin d'attendre que mon père vienne lui ouvrir pour pénétrer dans l'atelier. Or la porte est protégée par une serrure à reconnaissance digitale. Une serrure qui reste obstinément muette quand je l'effleure.

– Vous pouvez entrer dans l'atelier ? je répète.

– Évidemment que je le peux. Votre père serait capable de se dessécher dans son fauteuil si je ne le forçais pas à sortir de là de temps en temps.

Sur ce point, elle a raison. La faim, la soif et le besoin de sommeil ne semblent avoir aucune prise sur lui. Seule Mme Elia permet à cette Maison de garder un rythme de vie à peu près normal. Mais je ne peux pas m'empêcher de ressentir une pointe de jalousie. Pourquoi est-ce que je ne dispose pas de ce sésame, moi aussi ? Après tout, je suis l'unique héritier de la Maison Edelweiss. Un jour, quand papa décidera qu'il est temps pour lui de se retirer, je lui succéderai, comme il a succédé à grand-père. Alors est-ce qu'il ne serait pas logique que je commence à l'assister ?

Nous regagnons la salle de classe.

Elle dispose d'à peu près tout ce dont un lycéen moderne peut rêver : bureau avec écran tactile intégré, matériel de dessin et de modélisation 3D, mappemonde virtuelle… Plus quelques antiquités dont je me passerais bien : ce tableau d'ardoise accroché au mur, par exemple, sur lequel Mme Elia se plaît à écrire, ou l'impressionnante bibliothèque qui occupe un pan entier de la salle. Je m'installe à mon bureau, tandis que Mme Elia se dirige vers le sien à pas lents. Ses cheveux blancs sont noués en un chignon strict, et elle porte une austère robe noire. Quand j'étais enfant, j'étais persuadé que Mme Elia était un reflet. Comme tous les autres, elle ne paraissait pas vieillir. Aujourd'hui encore, son visage reste lisse, à l'exception des rides qui étoilent le coin de ses yeux.

Elle a l'habitude de dire que cela fait quarante ans que la famille Edelweiss est devenue la sienne. Vieille amie de mon grand-père, elle s'est occupée de papa avant moi, jouant pour nous deux, à une génération d'intervalle, le rôle de gouvernante et de professeur particulier. Quand j'y repense, j'ai l'impression que son ombre vigilante plane sur chacun de mes souvenirs.

Ses yeux se posent sur le livre qu'elle a abandonné sur son bureau, un peu plus tôt. Elle a l'air d'hésiter. Puis, d'un coup, son expression se radoucit, et elle repousse l'ouvrage du revers de la main.

– Je suppose que vous avez eu votre content de philosophie pour la journée, dit-elle. Peut-être devrions-nous travailler sur la modélisation.

Je pousse un soupir de soulagement, effleurant la surface de ma table pour relancer le système.

Comme mon père avant moi, je ne suis jamais allé à l'école. La faute à mon grand-père, selon Mme Elia : il a été si profondément marqué par l'épidémie de grippe qui a emporté ma grand-mère qu'il est resté confiné à l'intérieur de la Maison jusqu'à sa mort, refusant que son fils en sorte lui aussi. J'imagine que ce genre de phobie laisse des traces... Mais je n'ai pas à me plaindre.

Je peux apprendre tout ce dont j'ai besoin, ici, et mon père m'a composé un programme légèrement différent de celui qui est dispensé dans les lycées ordinaires. Au menu ? Physique et mathématiques appliquées, anatomie, programmation et modélisation 3D... Le parfait nécessaire du petit créateur de reflets. Ça me plaît, vraiment. Malheureusement, il a fallu que Mme Elia y ajoute son grain de sel. De la psychologie – « La Maison est un creuset d'émotions, Daniel, un lieu où s'entrecroisent de multiples formes de souffrance. Si vous désirez aider vos visiteurs, je veux dire, sincèrement, alors vous devrez d'abord les comprendre » –, de l'histoire, un peu de littérature et, c'est sa nouvelle lubie, de la philosophie.

Je pose mon index sur une icône du bureau. Une fenêtre noire s'ouvre, et je patiente quelques secondes, le temps que mon dernier projet se charge. La forme inachevée d'une large bâtisse apparaît enfin sur les écrans de la salle de classe. La Maison Edelweiss. C'est elle que je veux reproduire aujourd'hui, avec son parc, ses couloirs labyrinthiques, ses multiples salons de réception... Je me lance, m'isolant du monde pour mieux plonger dans le mien.

Je n'ai ni photos ni plan de la Maison sur lesquels m'appuyer, rien d'autre que ma mémoire. Lorsque vient le moment de reproduire un détail précis de l'architecture, je recule de mon écran, fermant les yeux pour mieux me concentrer, et je convoque mes souvenirs. Mme Elia observe mes avancées en silence, approuvant parfois d'un léger signe de tête. Sa présence ne me gêne pas. Ses interventions sont rares, mais ses remarques toujours justes.

Mes doigts glissent sur la surface de la table de travail, faisant naître lignes et courbes, précisant les contours de la Maison. Peu à peu, le temps perd sa consistance, s'étire comme un ruban de cire molle. Lorsque Mme Elia met un terme à la séance, je relève la tête avec l'impression qu'une poignée de minutes seulement se sont écoulés... Derrière la fenêtre, le soleil est pourtant bas. Une silhouette chemine sur l'allée principale. Je plisse les yeux. C'est la journaliste, Daphné Maris, qui quitte la Maison. Je la vois s'arrêter pour jeter un dernier coup d'œil en arrière.

Puis elle disparaît sous l'imposante arche de pierre du portail.

3

L'animation qui règne dans la Maison me parvient à la seconde où je quitte les quartiers privés pour pénétrer dans la zone publique.

Des éclats de voix et des rires résonnent dans les couloirs lorsque les portes des salons de réception s'entrouvrent, révélant de manière fugace des dizaines de décors différents. Quelques habitués me reconnaissent et me saluent au passage. Dans le hall d'entrée, Lucile et Cali, les deux hôtesses de la Maison, accueillent des visiteurs tardifs.

Lucile est une longue liane à la peau sombre, aux cheveux tressés et au sourire immense. J'étais enfant lorsqu'elle est entrée à la Maison. Cali est arrivée quelques années plus tard, quand la renommée de la Maison Edelweiss a vraiment explosé. Cheveux roux coupés au carré, grands yeux verts, peau translucide ;

elle ressemble à une poupée fragile qu'un souffle de vent suffirait à renverser, mais je ne connais personne qui ait un rire aussi fort et vibrant que le sien.

Absorbées par leur travail, les filles ne me voient même pas passer. Ce sont elles qui expliquent aux visiteurs les règles et le fonctionnement de la Maison, qui les aident à mettre en place lentilles 3D et oreillettes, qui les accompagnent dans les salons de réception et leur montrent comment utiliser l'écran de commande pour choisir un décor. Tous les salons de la Maison sont équipés de panneaux 3D, du sol au plafond. Il suffit de sélectionner un décor pour se retrouver sur une plage tropicale, dans un chalet perdu au milieu de bois denses ou un jardin débordant de fleurs. Certains disent que la Maison n'est qu'une salle de cinéma géante. Mais dans quel cinéma peut-on converser et rire avec des morts ?

Pour la plupart des gens, voilà ce que représente la Maison Edelweiss : un endroit vivant, bruissant d'agitation, où les visiteurs convergent des quatre coins du pays pour retrouver leurs proches disparus. Il y a longtemps que je me suis habitué aux allées et venues incessantes, à ce mélange entre espaces privés et publics – je suis né ici, après tout. Mais j'aime quand le jour décline et que les portes de la Maison Edelweiss se referment. Car lorsque la nuit tombe et que les écrans s'éteignent, les lieux changent de visage.

Je traverse le hall sans que personne ne fasse attention à moi et franchis le sas d'entrée, m'échappant de cette fourmilière pour me réfugier dans le calme du parc. La silhouette de l'Arche surgit face à moi. Cette longue pergola couverte de lierre et de jasmin est la dernière invention de mon père. C'est aussi l'une des plus appréciées : des émetteurs relais y sont dissimulés, créant une zone dans laquelle les reflets peuvent déambuler en plein air. Quelques visiteurs se promènent sous les arceaux fleuris, en compagnie de trois reflets. Je reconnais parmi ces derniers la silhouette de grand-père Edelweiss. Avec sa moustache en guidon de vélo, il paraît tout droit sorti d'une autre époque. Il porte un élégant complet gris, tendu sur son ventre rebondi, et tient à la main sa canne fétiche.

– Ah ! s'exclame-t-il en me repérant soudain. Mon petit Daniel !

Je soupire. Impossible d'échapper à l'œil vigilant de la Ruche.

La Ruche, c'est l'Intelligence Artificielle qui dirige la Maison : un système unique, paraît-il, d'une perfection redoutable. L'IA anime l'ensemble des reflets, voit par leurs yeux, écoute par leurs oreilles. Je l'ai surnommée ainsi quand j'étais gamin, et c'est resté. Mais je n'ai pas envie de discuter avec grand-père Edelweiss, ce soir.

Heureusement, je n'ai qu'à sortir de la zone d'émission de l'Arche pour retrouver ma tranquillité. J'agite la main dans sa direction pour m'excuser, puis je fais un grand détour et je m'enfonce dans les frondaisons.

Quand j'étais petit, je pensais que le parc était infini. Au-delà de la vaste pelouse et des parterres de fleurs qui entourent la Maison, la végétation se fait plus libre, plus fantasque. Un épais rideau d'arbres dissimule le mur d'enceinte, laissant croire à l'orée d'une forêt. Je dépasse l'étang artificiel, continue encore un peu. Un vieux cèdre pousse là, tout contre le mur. Je me hisse sur une des branches basses. Je pourrais continuer mon ascension les yeux fermés tant j'ai l'habitude de grimper jusqu'à la cime : je connais chaque prise par cœur. Quelques secondes plus tard, je suis au sommet.

La ville s'étale à mes pieds comme une gigantesque tache d'huile. J'ai toujours aimé regarder les choses d'en haut. Observer l'ensemble, discerner les éléments qui le constituent et qui s'assemblent jusqu'à se fondre les uns aux autres. Il paraît que je suis doué pour ça.

Des tours, plantées les unes à côté des autres comme d'étranges tiges de métal, lacèrent l'horizon de leurs silhouettes effilées. Dans l'axe dégagé d'une avenue apparaît parfois un bout de fleuve, coulée lisse et sombre. Je me laisse un instant porter par ses méandres, fouillant parmi mes souvenirs pour tenter d'en trouver un qui s'y rapporte. Ma récolte est maigre : une ou deux promenades sur les berges en compagnie de Mme Elia, il y a des années de cela, quand elle croyait encore pouvoir se comporter comme une gouvernante normale. Mais mon père a toujours détesté que l'on s'éloigne de la Maison, alors j'ai pris l'habitude de me contenter de ces frontières – il me suffit de grimper à la cime de cet arbre pour les distendre.

De là-haut, j'ai découvert à quoi ressemblait vraiment la ville : un océan monochrome qui encercle la Maison Edelweiss et son immense parc. Tout est gris – les routes bitumées qui serpentent autour de la Maison, les façades des immeubles, le ciel au-dessus de ma tête, jusqu'aux mines des passants pressés... La cité tout entière est plongée dans une morne grisaille.

Des éclats de rire attirent mon attention. Je baisse les yeux sur la rue, en contrebas. Un groupe d'adolescents aux visages familiers apparaît sur le trottoir d'en face. Je ne les connais pas réellement, mais cela fait si longtemps que je les vois passer ici, chaque soir après la fin des cours, qu'ils font un peu partie de mon monde. Je leur ai même donné des noms. Il y a Oscar le lourdaud, qui dépasse les autres d'une bonne tête et doit faire attention à ne blesser personne quand ils se mettent à chahuter ; Bertie le petit boutonneux, qui essaie de se composer une démarche cool malgré l'hostilité évidente de son sac à dos de dix kilos ; Ben le skateur, casque vissé sur les oreilles et mèches ébouriffées... C'est drôle, on dirait qu'aucun d'entre eux n'a d'existence autonome. Ils arrivent ensemble, ils repartent ensemble. À croire que les garçons de mon âge ne vivent qu'en bande. Ils tournent bientôt au coin de la rue, laissant derrière eux leurs rires qui n'en finissent plus de ricocher sur les murs.

Je me décale d'une branche. Derrière le voile de brume qui recouvre la ville, le soleil est en train de disparaître. Les ombres s'épaississent doucement, les toits d'ardoise semblent s'allonger, les tours les plus lointaines s'effacent, perdant un étage après l'autre. Les derniers visiteurs de la Maison quittent les lieux. Le silence reprend sa place. Puis la voix de Mme Elia le trouble une dernière fois :

– Daniel ! appelle-t-elle.

Ce qui signifie qu'il est l'heure d'aller dîner.

L'homme qui faisait revenir les morts

Enquête au cœur de la Maison Edelweiss, la plus célèbre des Maisons de départ.

Regards Modernes / 10.01.2062 à 16 h 09

Des dizaines d'e-mails et de coups de téléphone, trois mois de patience : voilà ce qu'il m'aura fallu pour pouvoir enfin pénétrer dans les entrailles de la Maison Edelweiss, l'un des lieux les plus feutrés, les plus étranges de la capitale.

Créée en 2022 par Édouard Edelweiss, la première Maison de départ au monde fêtera cette année ses quarante printemps. Mais aucune célébration n'est prévue. « Certains anniversaires sont difficiles à fêter, explique Petro Edelweiss, actuel directeur de l'établissement et fils de son fondateur, lorsque je lui pose la question. L'histoire de cette Maison est intimement liée à la grande épidémie de grippe H2, qui a endeuillé l'Europe en 2020. Les victimes se comptaient par dizaines de milliers. Et parmi elles, il y avait ma mère… Cela a été un énorme choc pour mon père. Il avait consacré sa vie au divertissement virtuel et, soudain, plus rien n'avait de sens. Alors il s'est enfermé ici et il a commencé à travailler en secret sur un nouveau projet. Deux ans plus tard, la Maison Edelweiss ouvrait ses portes. La promesse de mon père était simple : offrir à ses visiteurs un peu de temps supplémentaire pour dire sereinement au revoir à ceux qu'ils aimaient. Car il n'y a rien de pire que de voir un proche nous être arraché, sans nous laisser la chance de poser le point final à l'histoire que nous écrivions ensemble. »

Très rapidement, le public afflue. La renommée de la Maison Edelweiss s'étend de jour en jour, tandis qu'une ribambelle de maisons concurrentes ouvrent. Peu à peu, c'est le rapport au deuil d'une société tout entière qui se voit ébranlé. Il suffit de pénétrer dans les salons de la Maison, de déambuler sous l'Arche fleurie et de contempler les visiteurs qui discutent paisiblement avec les reflets de leurs proches pour mesurer l'ampleur de ce changement. Petro Edelweiss hausse les épaules avec un air d'étonnement sincère quand on évoque avec lui cette évolution. « Je ne sais pas si nous avons modifié quoi que ce soit. Nous voulons juste aider nos visiteurs à franchir ces étapes difficiles. »

Il y a quinze ans que cet homme au regard rêveur a repris les rênes de l'institution familiale, succédant à son père. Quinze années au cours desquelles la Maison Edelweiss n'a cessé de gagner en notoriété. « J'ai essayé de parfaire l'œuvre de mon père. Il avait débuté sa carrière comme concepteur de jeux vidéo, se faisant connaître grâce au réalisme et à la beauté de ses personnages. Plus tard, il a mis ce talent au service de la Maison. Il possédait une étonnante mémoire photographique : il lui suffisait de voir un visage une fois, une seule, pour s'en souvenir dans les moindres détails. C'est un don dont je n'ai malheureusement pas hérité, semble s'excuser Petro Edelweiss. Au contraire de mon fils. Quand j'ai pris la direction de la Maison, je me suis demandé ce que je pouvais y apporter. La réponse m'est venue d'elle-même : physiquement, nos reflets étaient absolument parfaits, mais une personne est davantage qu'une simple image. Il fallait aller plus loin. Il fallait que ces reflets révèlent ce que les gens avaient été, en profondeur. » Aujourd'hui, Petro Edelweiss rencontre chacun de ses nouveaux clients. Ensemble, ils discutent longuement du disparu qu'il s'apprête à « ressusciter ». Car, à la différence de son père qui se fondait sur l'observation physique et la reproduction minutieuse du réel, les souvenirs et les sentiments forment aujourd'hui le terreau d'Edelweiss. Plus qu'un artiste, Petro Edelweiss est un empathe : puisant dans la mémoire de ses visiteurs de quoi faire renaître leurs défunts, il leur offre ainsi un reflet en quatre dimensions.

Actuellement, la Maison abriterait près de deux cent cinquante reflets. Petro Edelweiss ne nous en dira pas plus, mais il existe sans doute une liste d'attente conséquente pour les nouveaux clients – car il travaille seul, refusant que quiconque l'assiste. « Le jour viendra où mon fils Daniel prendra la relève, conclut-il. Ce sera son héritage, à lui et à lui seul. »

La Maison Edelweiss n'est pas près de voir sa réputation flétrir.

Daphné Maris / Journaliste au desk Société

✉ Suivre ★ Abonnez-vous ! ✎ Réagir 👍 Partager

4

Je détache mes yeux de la tablette, le temps de pousser un sifflement admiratif. L'article de Daphné Maris compte déjà parmi les plus partagés sur le site de *Regards Modernes*.

– Ben dis donc ! Tu lui as promis quoi en échange de cet éloge ? je pouffe. « *Cet homme au regard rêveur* » !

À l'autre bout de la table, mon père se tortille sur son fauteuil, l'air un peu gêné. Je fais défiler la suite du texte sur l'écran de la tablette. En fait, ce n'est pas un article, c'est un véritable dossier !

Mme Elia ne tarde pas à nous rejoindre. Elle entre dans la salle à manger, un plat fumant entre les mains, et repère directement la tablette que j'ai posée sur mon assiette. Un froncement de sourcils suffit à me rappeler à l'ordre. Inutile de protester : le dîner, c'est sa petite obsession, son combat de tous les jours. Comme si le fait de sacraliser ce moment où l'on se retrouve tous ensemble suffisait à faire de nous une famille normale. Je crois que c'est pour moi qu'elle s'acharne ainsi, mais qu'elle soit normale ou non, ma famille me convient très bien.

Je glisse la tablette sur une chaise voisine, tandis que Mme Elia me sert une généreuse ration de gratin de pommes de terre aux champignons. Face à moi, mon père fixe à présent son assiette sans un mot. Un pli de concentration marque son front. Cette expression, je la connais bien : elle s'empare de lui dès qu'il se plonge dans la création d'un nouveau reflet. C'est comme s'il avait du mal à revenir au monde réel. Ses pensées restent enfermées en bas, dans l'atelier. Je les imagine sous la forme de petites bestioles à la fourrure grise, qui grattent à la porte en couinant d'impatience.

Nous mangeons en silence.

– Dessert ? demande Mme Elia un peu plus tard.

Elle doit répéter deux fois sa question pour faire réagir papa. Il refuse avec un geste d'excuse. Elle pince les lèvres et me sert sans un mot. Depuis toutes ces années, elle devrait pourtant en avoir pris son parti, elle aussi. Mon père a toujours été comme ça, habité par son travail, dévoré par ses reflets. Il ne tarde d'ailleurs pas à nous abandonner, et j'aide Mme Elia à débarrasser la table avant de regagner ma chambre.

Comme d'habitude, maman est là, assise dans un fauteuil, penchée sur un gros livre aux pages jaunies. Elle est vêtue d'une robe bleue, et ses cheveux bruns s'étalent sur ses épaules. Elle sourit en me voyant entrer, d'un sourire si lumineux, si total que je sens mes lèvres s'étirer d'elles-mêmes pour l'imiter, soudainement douées d'une vie propre. Elle a ce super-pouvoir, quand elle me regarde, de me donner l'impression que je suis le seul au monde digne de son intérêt et de son amour.

Finalement, mes parents se complètent plutôt bien : c'est comme s'ils s'étaient entendus pour que chacun compense les défauts de l'autre.

– Bonsoir chéri, dit-elle.

– Salut m'man. Tu lis quoi ?

Elle soulève le volume pour me laisser déchiffrer le titre. *Sur les rives du Styx*. Je ne peux m'empêcher de grimacer. Ça ressemble un peu trop aux bouquins que ma vieille gouvernante voudrait me faire lire.

– C'est un coup de Mme Elia, pas vrai ? je demande. Comment est-ce qu'elle s'est débrouillée pour te mettre ça entre les mains ?

Ma mère secoue la tête en souriant.

– Oh, Elia n'y est pour rien. Ton père ne t'a jamais parlé du mythe d'Orphée et Eurydice ?

– Pas que je m'en souvienne.

– C'est étonnant, dit-elle. Leur histoire l'a toujours fasciné. Approche, je vais te la raconter.

J'obéis, tirant un fauteuil à côté du sien, et je m'y pelotonne. Je me sens bien, à cet instant. À ma place. La lampe de chevet dispense une lumière tamisée. Dans cette semi-pénombre, le visage de ma mère se découpe, aussi délicat qu'une dentelle. Elle entame son récit par l'histoire d'Orphée, poète et musicien de génie, dont les mots parvenaient à charmer dieux, hommes et animaux. Je ferme les yeux pour me laisser bercer par sa voix, entrevoyant presque l'éclat de ce monde ancien. Pas de doute, c'est bien plus séduisant que les cours façon XXIe siècle de Mme Elia.

La voix de ma mère s'adoucit tandis qu'elle arrive à la rencontre d'Orphée et de la belle Eurydice, nymphe des bois. Ils tombèrent éperdument amoureux l'un de l'autre et se marièrent. Peu après, allant se baigner à la rivière, Eurydice marcha sur un serpent, qui la mordit et la tua sur le coup.

Je me mordille les lèvres, troublé. Dans mon esprit, la nymphe a curieusement pris les traits de ma mère.

– Incapable d'accepter sa mort, continue maman, Orphée décida alors de descendre jusqu'aux Enfers pour en ramener sa bien-aimée.

Devant mes yeux clos, le visage flou d'Orphée se modifie lui aussi. Il devient… mon père. Je me redresse sur mon fauteuil en criant :

– Arrête !

Maman se tait, levant les yeux du livre pour me retourner un regard surpris. Dans ma poitrine, je sens mon cœur battre un peu plus vite. Qu'est-ce qui me prend ? Pourquoi ai-je soudain l'impression que la légende d'Orphée et d'Eurydice est un reflet de l'histoire de mes parents ? Je secoue la tête pour en chasser cette affreuse idée. Face à moi, ma mère me fixe toujours sans comprendre. Je prends une profonde inspiration, désolé de l'avoir interrompue si brusquement.

– J'ai eu une longue journée. Je vais aller me coucher, d'accord ?

Elle retrouve aussitôt son sourire.

– Bien sûr. Nous en reparlerons demain, si tu le souhaites… Je t'aime, mon cœur, ajoute-t-elle. Jusqu'au ciel et aux étoiles !

C'est notre formule rituelle. Elle me souffle un baiser, referme le livre et le dépose sur l'accoudoir du fauteuil, puis elle se lève. La porte se referme derrière elle avec un claquement léger. Le silence retombe sur la chambre.

Comme tous les habitants de la Maison Edelweiss, je porte des lentilles 3D dernier cri, que je désactive rarement. Le virtuel est un aspect de la Maison, et nous vivons un pied dedans, en permanence. Cette fois, pourtant, je me sens fatigué. Je cligne des yeux à trois reprises, désactivant ainsi mes lentilles pour la première fois depuis des jours. Sur le panneau 3D qui occupe le fond de ma chambre, les couleurs et les formes se brouillent en un magma fluctuant. Le fauteuil de ma mère et le livre posé sur son accoudoir disparaissent, les contours de la porte par où elle est sortie se déforment et s'effacent, la lumière douce de la lampe se change en un halo flou.

– Extinction, dis-je à haute voix.

L'obscurité envahit aussitôt la pièce.

Je me laisse tomber sur mon lit.

5

Les heures passent, je ne parviens pas à m'endormir. Je cale mon oreiller dans mon dos et je réactive mes lentilles d'un geste inconscient. Puis je me rends compte de ce que je suis sur le point de faire : appeler le reflet de ma mère en pleine nuit, comme quand j'étais enfant et qu'un cauchemar venait de me réveiller. Oh, bien sûr, elle apparaîtrait immédiatement, avec son sourire doux et sa voix consolante. Mais quelque chose en moi m'en empêche.

Un rayon de lune s'est glissé entre les rideaux entrouverts. Je repousse les draps et je me lève, marchant jusqu'à la fenêtre. Dehors, les ombres des arbres s'étirent sur les pelouses comme de longues coulées d'encre, et les lumières pâles des étoiles se reflètent sur la surface calme du grand bassin. On dirait que le monde est vide. Que plus rien n'existe.

Au moment où je formule cette pensée, je prends conscience que je me sens un peu triste. Est-ce l'histoire d'Orphée et d'Eurydice qui continue à résonner quelque part en moi ? Enfin, qu'est-ce qui m'arrive, au juste ? Ce n'est pas exactement mon genre de ruminer des idées sombres au beau milieu de la nuit. Je fais volte-face, traverse la chambre et sors en silence. Sous mes pieds, le vieux parquet, qui ne se prive pourtant pas de grincer dès qu'on ose l'effleurer, semble retenir son souffle. Je prends ça pour un encouragement. Je rejoins rapidement l'amphithéâtre. Cela a toujours été mon endroit préféré dans la Maison, avec ses gradins disposés en arc de cercle. Je réactive mes lentilles, puis je m'approche de l'écran de commande encastré dans le mur pour faire défiler les options de décor.

La pièce se transforme, les cloisons s'effacent, la luminosité fluctue. Je suis au centre d'un antique cirque romain, dans un pays écrasé par le soleil. À quelques mètres de là, la mer lèche la plage dans un doux clapotis. Mes yeux s'attachent au vol gracieux d'une mouette. Non, trop estival pour mon humeur. Mon index glisse sur l'écran, sélectionne un autre décor. La mer disparaît, remplacée par une nuit sans fin. Au-dessus de moi, les étoiles dessinent des constellations que je tente de reconnaître. Il n'y a plus d'autre bruit que celui du vent qui effleure les hautes herbes de la lande alentour. Je m'assieds sur la première marche des gradins, transformés en un cercle de pierres inspiré de ruines celtiques, et je prononce à haute voix plusieurs noms : Elliott, Mona, Matthias.

Elliott est le premier à se montrer. Sa silhouette fluette se découpe en ombre chinoise sur la toile nocturne, en haut de l'amphithéâtre.

– Salut, Dan !

– Salut, mec.

Sa voix me paraît plus enfantine que d'habitude. Il est vêtu d'un jean trop large pour lui et d'un tee-shirt rayé. Sa peau semble encore plus pâle à la lueur des étoiles. Il m'adresse un large sourire, dévoilant ses dents du bonheur, descend les marches et se laisse glisser dans l'herbe.

Elliott avait huit ans quand il est mort, renversé par un chauffard sur le chemin de l'école. Je me souviens de la joie que j'ai éprouvée lorsque mon père a créé son reflet... C'était la première fois que je me retrouvais avec quelqu'un de mon âge. On est tout de suite devenus les meilleurs amis du monde. Le problème, je m'en rends compte à cet instant, c'est qu'il a *toujours* huit ans.

Et que moi, j'en ai maintenant sept de plus.

Mes pensées s'éparpillent avec l'arrivée de Mona et de Matthias. Ces deux-là, je les ai toujours admirés :

la vingtaine chacun, physique de surfeur pour lui, avec muscles déliés, peau bronzée et cheveux blondis par le soleil ; visage d'ange, immenses yeux bleus et sourire radieux pour elle. Matthias porte deux doigts à sa tempe en une esquisse de salut militaire, Mona souffle un baiser dans ma direction. Mon cœur accélère. Je ne peux pas m'en empêcher, je me trouble chaque fois que je la vois.

– Ça va, Dan ? me lance-t-elle.

Je ne réponds pas tout de suite, scrutant quelques secondes encore les environs. Ces derniers temps, je me méfie un peu de mon grand-père.

En principe, les reflets n'apparaissent que lorsqu'on les convoque. Mais les règles de la Maison ne s'appliquent pas à grand-père Edelweiss. Sa propension à débarquer n'importe où à l'improviste est devenue légendaire. Ça amuse les visiteurs de la Maison – moi, beaucoup moins. D'autant qu'il semble être de plus en plus imprévisible à mesure que le temps passe.

– Il y a un problème ? demande Matthias. C'est pas dans tes habitudes, les balades nocturnes.

– Il a dû faire un cauchemar, suggère Elliott.

Je secoue la tête.

– Non, ce n'est pas ça. C'est... (Je m'interromps, cherchant mes mots, ne les trouvant pas.) En fait, je ne sais pas. Une impression bizarre. Comme si je me sentais... seul.

– Hein ?! s'exclame Elliott en bondissant sur ses pieds comme si quelque chose lui avait piqué les fesses. N'importe quoi ! T'es pas seul du tout, on est là, nous !

Son sourire s'est évanoui, son menton tremble un peu. Mona effleure son épaule d'une caresse délicate, et ce geste tourne quelques instants en boucle dans ma tête. La grâce irréelle de sa main sur le tissu rayé du tee-shirt d'Elliott... J'envie le garçon pour ce simple contact, je l'envie même terriblement. Combien de fois ai-je rêvé que je prenais la main de Mona ?

– Du calme, Elliott, susurre Mona. Tu es trop jeune pour comprendre ça, mais quand tu grandis, il y a des moments de doute. Tu évolues brusquement et, du coup, tu te demandes si les autres évoluent aussi, s'ils avancent dans la même direction que toi...

Je la coupe :

– Tu vas pas me faire le coup de la crise d'adolescence ?

– Appelle ça comme tu veux, réplique Matthias avec un demi-sourire. Dans tous les cas, faut pas t'en faire, Dan, ça passera tout seul.

– J'imagine que tu parles d'expérience...

Son sourire se fait plus franc.

– Bien vu. J'en ai fait baver à mes vieux, quand j'avais ton âge, t'as pas idée ! Je disparaissais pendant des jours, je séchais les cours... En fait, je te trouve plutôt calme, de ton côté.

Je me tourne vers Mona.

– Et toi ?

– Moi ? dit-elle en battant exagérément des cils. Qu'est-ce que tu crois, Dan ? J'ai toujours été adorable.

Elliott, quant à lui, reste curieusement silencieux. Je jette un œil dans sa direction. Il a l'air de réfléchir. Pas la peine de lui demander ce qui le travaille ainsi : je connais déjà la réponse. Il ne grandira jamais, alors la crise d'adolescence... ce ne sera pas pour lui. Une bouffée d'affection me prend par surprise.

– T'inquiète pas, Elliott. Tu ne rates rien, je te le promets.

Il me renvoie un regard rassuré, puis la discussion dévie vers d'autres sujets. Les visiteurs de la semaine et les ragots divers de la Maison, le reflet sur lequel travaille mon père, le raz-de-marée qui vient à nouveau de frapper les Pays-Bas... J'écoute un moment mes amis. En permanence connectés à la Ruche, ils sont du genre bavards. Moi aussi, d'habitude... Mais ce soir-là, mon esprit semble ailleurs. Je commence à lâcher le fil.

Que suis-je venu chercher ici ? Je n'en ai aucune idée – toujours est-il que je ne l'ai carrément pas trouvé.

Sentant l'ennui poindre, je bascule la tête en arrière pour river mon regard aux étoiles qui nous surplombent.

Un grincement métallique retentit alors. La porte de l'amphithéâtre vient de s'ouvrir sur la silhouette de Mme Elia, enroulée dans une épaisse robe de chambre couleur lie-de-vin.

– Daniel ? dit-elle. Que faites-vous ici ? Il est 3 heures du matin.

Sa voix trahit une légère inquiétude. Je me tourne vers mes amis pour les congédier.

– Faut que je vous laisse, je murmure. À plus.

Ils se contentent d'acquiescer avant de disparaître. Je désactive mes lentilles et éteins les écrans. Le ciel étoilé et les ruines se fondent en aplats de couleur incertains, puis la salle reprend son apparence ordinaire.

– Vous connaissez le mythe d'Orphée et Eurydice ? je lui réponds enfin. Ma mère a voulu me le raconter, tout à l'heure.

Les épaules de ma vieille gouvernante s'affaissent. Il y a des jours où elle m'agace prodigieusement, c'est vrai, mais c'est aussi la seule qui arrive à entrevoir les tempêtes qui font rage sous mon crâne.

– Retournez dans votre chambre, dit-elle. Recouchez-vous et oubliez cela.

– Je n'arrive pas à dormir.

– Je doute que convoquer une assemblée de fantômes vous soulage de ce problème...

– Arrêtez de traiter les reflets de fantômes !

– Renommer les choses ne suffit pas à en changer la nature, réplique calmement Mme Elia.

Ce débat-là n'a rien de nouveau pour nous deux. Ma gouvernante n'a jamais caché sa méfiance à l'égard des reflets de la Maison Edelweiss. La suite, cependant, est plus inattendue.

– Si vous tenez absolument à vous balader hors de votre chambre, ajoute-t-elle, allez au moins jusqu'au bout des choses. Ce serait si plaisant de vous voir dépasser les limites derrière lesquelles vous êtes toujours resté bien sagement cantonné...

Je la regarde avec de grands yeux étonnés. Je dois avoir l'air idiot, d'ailleurs, car elle soupire, exprimant une irritation qui doit couver depuis quelque temps déjà.

– Sortez de cette Maison, bon sang ! Allez respirer l'air de la vie ! Escaladez les murs ! Vous avez quinze ans, Daniel, agissez donc comme les garçons de votre âge !

Puis elle fait demi-tour et disparaît dans les escaliers.

Je reste un instant planté là, à me répéter ses paroles.

Escalader les murs ?

6

Et lorsqu'il n'y a pas de corps à scanner, s'il n'y a aucune base de départ fiable ? Peut-on créer un reflet *ex nihilo* ? Voilà l'une des questions qui reviennent le plus souvent au sujet des Maisons de départ. « Nous vivons dans un monde d'images, répond Petro Edelweiss. On se filme, on nous filme sans cesse, comme si on voulait s'ancrer pour de bon dans la réalité. Ces masses de photos et de vidéos forment un matériau de construction un peu brut, et le travail de cisèlement du reflet est bien sûr plus long, plus compliqué... Mais on y arrive. »

(Extrait de l'article de Daphné Maris, paru dans le magazine *Regards Modernes*.)

J'ai à demi suivi les conseils de Mme Elia.

À demi seulement, parce que je ne me voyais pas trop arpenter les rues en pyjama à 3 heures du matin. Alors je suis sorti de la Maison et j'ai gagné mon perchoir favori, en haut du vieux cèdre. C'est étrange, on dirait que le filtre de la nuit révèle une autre dimension du monde. Sous mes pieds, la ville n'est plus que lumières scintillantes, comme si l'obscurité l'arrachait à son habituelle couche de grisaille pour en faire une dentelle d'étoiles. D'arbre en arbre, quelques oiseaux nocturnes se répondent, tandis que la brise fait frémir les feuillages.

Face à ce spectacle, mon esprit se vide lentement. Combien de temps est-ce que je reste là, calé contre le tronc de mon vieil arbre ? Je n'en ai aucune idée. Je frissonne. L'air est frais, l'écorce rugueuse sous le tissu léger de mon pantalon.

Il est temps de rentrer.

Je me laisse glisser de branche en branche, rejoignant le sol d'un dernier bond, puis je traverse à nouveau le parc. L'herbe est douce sous mes pieds nus, et la terre exhale un parfum d'humus. Je me faufile à l'intérieur de la Maison, m'apprêtant à regagner l'étage, quand une intuition soudaine m'arrête. À la place, je descends jusqu'au niveau -1. Un rai de lumière pointe sous la porte de l'atelier. Sans réfléchir, je frappe.

Bruits de pas. La porte s'ouvre et mon père glisse la tête par l'entrebâillement. Des rides que je ne lui connaissais pas strient le coin de ses yeux. Son teint est pâle, ses cernes violacés. Une pointe de souci me saisit. Je l'ai déjà vu ainsi, pourtant, enchaînant les nuits blanches jusqu'à ce que Mme Elia le tire de force hors de son antre. C'est comme s'il était incapable de s'arrêter de lui-même. Parfois, je me demande ce qui est le plus réel à ses yeux : moi ou bien ses reflets.

– Dan ? s'exclame-t-il. Qu'est-ce que tu fais là ?

Je ne réponds pas à sa question. Je lui demande juste :

– Ça va, p'pa ?

Pour la première fois depuis longtemps, son masque de fatigue se fissure. Il tente de sourire, abandonne aussitôt, pousse un petit soupir… puis, tout à coup, il fait demi-tour, me plantant là.

Mais la porte ne se referme pas.

J'entre dans l'atelier d'un pas hésitant. Mon père se tient maintenant à côté du cylindre de projection. Il fixe la silhouette de Julia, qui effectue une lente rotation sur elle-même. Je m'approche pour mieux l'observer. Papa a bien travaillé, depuis ma dernière intrusion : la jeune femme semble désormais réelle. Ses yeux fixent un point, au loin. Elle cligne lentement des paupières, et je peux voir palpiter une rangée de cils épais. Ses longs cheveux bruns retombent sur sa poitrine, frémissant à chacune de ses expirations.

– Ça y est ? je demande. Tu as terminé son reflet ?

Il balaie ma question d'un geste rageur.

– Non, s'écrie-t-il. Ce n'est pas elle ! *Pas du tout* elle. Il lui manque quelque chose, Dan, quelque chose d'essentiel… Je m'y échine depuis des jours ! Je suis incapable de mettre le doigt dessus.

Je ne lui montre rien de mon étonnement, mais c'est la première fois que je vois mon père aussi fébrile. Est-ce juste la fatigue ? Il paraît distrait, l'esprit ailleurs… Peut-être pourrais-je l'aider.

Je me retourne vers Julia, l'examinant encore, notant mentalement les plus infimes détails. Un ruban chargé de breloques à son poignet, quelques cals à ses doigts – musicienne ? –, trois grains de beauté sur la peau claire de son épaule, une cicatrice presque effacée sous son menton.

– Tu me montres ? dis-je à mon père.

Ses doigts s'agitent dans l'air. Julia cligne à nouveau des paupières, plus rapidement cette fois, comme si elle s'éveillait d'un long songe. Je lui souris.

– Bonjour, Julia.

– Euh… bonjour, dit-elle. Où suis-je ?

Sa voix est rauque, un peu brisée sur la fin. Ses yeux papillonnent, elle observe les alentours, m'observe moi.

– À la Maison Edelweiss, je réponds.

Un sourire étonné anime son visage, ses yeux s'arrondissent.

– C’est vrai ? s’exclame-t-elle. Mes parents me l’avaient promis.

Je me tourne à nouveau vers mon père.

– Tu as des vidéos ?

Évidemment qu’il en a. Il en a toujours.

Les écrans muraux qui entourent son bureau s’éclairent, et la vie de Julia commence à défiler sous nos yeux. Des vidéos d’elle enfant, d’abord – pas très utiles en ce qui nous concerne, mais les familles en glissent généralement quelques-unes dans le lot. Puis elle apparaît sur ce qui semble être la scène d’un petit festival, une guitare à la main et un micro sous le nez. J’avais vu juste, elle est bien musicienne. Sous mon crâne, quelque chose se met en route. La concentration chasse les pensées parasites, mon attention tout entière se focalise sur le visage de Julia, je note, j’enregistre, je compare. Mon père lance les films les uns après les autres. Lorsque nous arrivons au bout de la série, je garde les yeux rivés sur les écrans devenus noirs, le temps d’assembler les pièces du puzzle.

Enfin, tout est complet.

– L’apparence est parfaite, papa. C’est l’expression qui ne colle pas. Regarde, dis-je en me penchant par-dessus son épaule, tapotant sur la table de travail pour revenir à la dernière vidéo. Là, elle sourit. Avec de très légères fossettes. Ses sourcils sont plus expressifs, le pli de sa bouche aussi est différent. Maintenant… (j'avance un peu jusqu'à une séquence où l'on entend Julia rire.) Écoute : son rire se casse sur les dernières notes.

Il reprend le contrôle de la table, relance plusieurs fois le visionnage. Ses traits se crispent sous l'effet de la concentration. Puis il se redresse, faisant pivoter son fauteuil vers moi, pour m'observer d'un air songeur.

– Tu as raison, déclare-t-il. Merci.

– Content d'avoir pu t'aider. Bonne nuit !

– Attends, Dan… Peut-être que tu devrais commencer à travailler pour moi, dit-il après une pause. Cela fait des mois que je n'ai pas eu le temps de réfléchir à un nouveau décor. Qu'est-ce que tu dirais de m'en proposer un ?

Je sens mon cœur se gonfler d'un mélange inédit de joie et de fierté. Est-ce que ce moment que j'attends depuis si longtemps est *vraiment* en train de se produire ? Je parviens à refréner l'élan d'enthousiasme qui menace de me faire bondir en l'air.

– OK, je réponds d'un ton faussement relax. Je vais voir ce que je peux faire.

7

Je dévale les escaliers en terminant de boutonner les boutons de ma chemise, puis je file en direction de l'amphithéâtre. Ce matin, je suis exceptionnellement dispensé de cours, car aujourd'hui est un jour particulier : la Maison Edelweiss accueille la nouvelle pensionnaire, Julia.

Des éclats de voix et des rires me parviennent à l'instant où je pousse la porte. La salle aux gradins a revêtu son habit de cérémonie. Une immense verrière soutenue par une fine ossature de cuivre filtre la lumière du matin, et des boiseries claires courent sur les murs de l'amphithéâtre, devenu circulaire par la magie d'une projection 3D : un arc de gradins virtuels se déploie en face de ceux, bien réels, où se sont déjà installés quelques visiteurs. Je suspends soudain mon pas. Une silhouette familière est assise en haut, à l'écart des autres. Daphné Maris. Le regard de la jeune femme se promène d'un point à l'autre, brillant d'une curiosité émerveillée qu'elle ne cherche même pas à dissimuler. Elle écarte la frange de cheveux blonds qui tombe devant ses yeux, puis m'aperçoit et m'adresse un discret signe de tête. Je lui réponds de la même manière avant de me détourner, un peu mal à l'aise. Que fait-elle ici ? J'ai du mal à croire que mon père ait pu l'inviter. Il n'a jamais laissé de journalistes assister à ce genre d'événement. Ni même, d'ailleurs, de personnes extérieures à la Maison ou à la famille du défunt ! C'est trop... intime, je crois.

En face de moi, les gradins virtuels s'emplissent de reflets. Mona et Matthias sont assis au premier rang. Elliott est un peu plus loin, qui agite frénétiquement la main dans ma direction. Je le salue d'un geste gêné.

Grand-père Edelweiss est là, bien sûr, en costume des grands jours – veste rouge à boutonnières dorées façon M. Loyal, canne à pommeau d'argent et chapeau haut de forme. Il joue au maître des lieux et passe entre les groupes, serrant la main d'un reflet, tapotant l'épaule d'un autre, se courbant avec galanterie devant les femmes. Quel cinéma ! Par chance, il est trop occupé pour faire attention à moi. J'en profite pour traverser l'amphithéâtre, rejoignant mon père qui discute avec un couple. Je ne les ai jamais vus mais je les reconnais aussitôt : la femme a la chevelure de Julia, l'homme ses yeux. Ses parents.

– Je vous présente mon fils Daniel, déclare mon père.

– Enchanté, dis-je en m'inclinant poliment.

Tous les deux ont l'air à la fois heureux et perdus. Leurs yeux voltigent comme s'ils étaient incapables de se fixer sur un point unique, ils effleurent les visages, s'échappent par la verrière avant de revenir à la silhouette de grand-père Edelweiss, qui pérore à quelques mètres de là… Leurs doigts sont entrelacés, et ils serrent leurs mains si fort que leurs articulations sont blanches – je ne crois pas qu'ils en soient conscients.

Puis grand-père Edelweiss frappe deux fois le sol de sa canne, signifiant le début de la cérémonie. Ceux qui n'étaient pas encore installés convergent vers les gradins. Je suis mon père et les parents de Julia. Comme c'est la tradition, nous nous installons au premier rang. Une poignée d'autres visiteurs nous accompagnent – encore de la famille, ou peut-être des amis de Julia. Peu à peu, le silence se fait.

C'est alors que Mme Elia fait son apparition, provoquant un instant de flottement dans l'amphithéâtre. Elle a revêtu une robe noire pour l'occasion, qui sied parfaitement à son expression lugubre. Noire, au milieu d'une assemblée de vêtements et de foulards colorés ! On dirait une vieille corneille dans un rassemblement d'oiseaux exotiques. Grand-père Edelweiss vient à sa rencontre : s'inclinant très bas, il pointe ensuite un doigt dans notre direction. Mme Elia traverse lentement la salle pour s'installer derrière moi.

Au pied des gradins, le maître de cérémonie se racle la gorge avant de se lancer. Sa voix s'élève dans l'amphithéâtre, automatiquement amplifiée par la Ruche.

– Il y a quarante ans, dit-il, les portes de la Maison Edelweiss s'ouvraient pour la première fois. Cette salle n'existait pas, alors, et même si elle avait été là, jamais je n'aurais pu imaginer que nous la remplirions un jour. Vous voir tous réunis ici est incroyable. Ensemble, nous avons fait reculer le chagrin et l'oubli. Ensemble, nous avons prolongé les souvenirs, nous leur avons donné corps, nous les avons arrachés au passé pour empêcher le futur de les perdre en cours de route. Oh, je ne dirai pas que nous avons vaincu la mort, ajoute-t-il avec un demi-sourire. Ce serait présomptueux. Mais, peu à peu, nous apprenons à l'apprivoiser.

Dans mon dos, Mme Elia lâche un long soupir.

– Aujourd'hui, notre communauté s'agrandit, continue grand-père Edelweiss, et je suis heureux de voir que vous êtes venus nombreux pour accueillir celle qui vivra désormais à nos côtés. Mes très chers amis, je vous présente Julia.

Au même instant, de l'autre côté de l'amphithéâtre, une porte dissimulée dans un panneau de bois s'ouvre pour révéler la silhouette de Julia. La jeune femme fait un timide pas en avant. Puis son regard rencontre celui de ses parents. Son expression s'éclaire. Dans les gradins, des sourires fleurissent, et la moustache de grand-père Edelweiss se met à frétiller, comme si elle avait décidé de prendre son indépendance. La mère de Julia a porté la main à sa bouche, couvrant un hoquet bruyant. Je vois ses épaules trembler. Elle veut se lever, sent ses jambes se dérober, s'accroche au bras de son mari. Une brève seconde, le père de Julia a tourné la tête dans ma direction, et ce que je lis dans ses yeux me bouleverse. Tous deux traversent l'amphithéâtre pour rejoindre leur fille, d'abord d'un pas lent, puis vite, vite, comme s'ils craignaient de la voir disparaître sous leurs yeux.

Dans mon dos, j'entends Mme Elia grommeler. Mais pourquoi s'acharne-t-elle ainsi, franchement ? Sa réaction me semble tellement déplacée que je me penche en arrière, chuchotant juste assez fort pour qu'elle seule puisse m'entendre :

– Si les rituels de la Maison vous déplaisent à ce point, pourquoi continuez-vous à venir ?

– Il y a deux façons de lutter contre ce qu'on juge mauvais, souffle-t-elle à mon oreille. En attaquant de manière frontale ou en tentant de changer les choses de l'intérieur. Je ne crois pas aux affrontements violents.

Qu'elle est agaçante !

– Ne soyez pas comme cela, je reprends. Pas aujourd'hui. Ces gens sont là pour faire leur deuil…

– Vous ne savez pas de quoi vous parlez, réplique-t-elle d'un ton sec.

Sa voix est si coupante que je me retourne. Mme Elia soutient mon regard. Son expression reste impassible, mais ses lèvres ne sont plus qu'une fine ligne blanche.

Au milieu de l'amphithéâtre, les parents de Julia ont rejoint leur fille. Ils ont l'air d'avoir oublié l'endroit où ils se trouvent. Un cocon d'émotions les entoure, tellement dense que je peux presque le visualiser. La mère de la jeune femme tremble toujours.

– Ma chérie, murmure-t-elle. Ma belle chérie…

Une ébauche de sourire danse sur ses lèvres. Soudain, elle tend la main comme pour caresser la joue de Julia. Puis elle se fige, prenant conscience de ce qu'elle s'apprêtait à faire. Les larmes coulent maintenant sans retenue sur ses joues. Julia lui répond avec un sourire désarmant :

– Tout va bien, maman, dit-elle. Je serai bien, ici.

Bruit d'une robe qui se froisse dans mon dos. Mme Elia vient de s'éclipser.

Bon débarras.

8

La cérémonie s'est prolongée tard dans la matinée, mais je n'échapperai pas aux cours de l'après-midi.

Mme Elia lève à peine les yeux lorsque j'entre dans la salle de classe. Elle s'est changée, abandonnant sa robe de sorcière pour un tailleur bleu nuit. Elle est plongée dans l'étude d'un ouvrage à la couverture de cuir crevassée par le temps. Je fronce les sourcils en repérant une inscription sur le tableau noir. *Divinités psychopompes*. Qu'est-ce que c'est que ça, encore ? Elle a décidé de me faire payer à sa façon l'épisode de ce matin ?

– Installez-vous, Daniel, dit-elle. Comme vous le voyez, nous allons faire une petite entorse à notre programme pour aborder un sujet bien particulier : les divinités psychopompes.

Je croise son regard, mais l'expression de Mme Elia reste parfaitement neutre. Pas la moindre aspérité à laquelle se raccrocher. Bâton de craie à la main, elle trace quelques mots de plus sur le tableau.

– Le terme *psychopompe* vient du grec et signifie littéralement « guide des âmes ». Il est intéressant de noter que la plupart des cultures possèdent leur propre panthéon des conducteurs d'âmes : les anges et saint Pierre pour les chrétiens, Charon pour les Grecs, Anubis pour les Égyptiens... Comme si l'idée d'un monde après la mort avait toujours compté parmi les croyances humaines, un monde si lointain et différent du nôtre que nous devons bénéficier d'une escorte céleste pour l'atteindre. Les Mayas, les Perses, les Bretons et même les adeptes du vaudou disposent de leurs propres convoyeurs de morts – métier éternel s'il en est. Que dites-vous de cela, Daniel ?

Je prends une longue inspiration, tâchant de refréner le sentiment d'impatience que je sens monter en moi. Les soubresauts de mon caractère me surprennent moi-même, en ce moment. J'ai l'impression que Mme Elia me tient délibérément éloigné de ce que j'ai envie de faire.

– Que voulez-vous que j'en dise ? Vous allez passer l'après-midi à me raconter de vieilles légendes ?

– Ces vieilles légendes, cher enfant, évoquent pourtant quelque chose d'essentiel, réplique-t-elle d'un ton pincé. C'est le passage de la vie à la mort, la dissolution de ce que nous sommes, la disparition définitive de ceux que nous aimons. La barque de Charon sur les eaux noires du Styx, saint Pierre et les portes du paradis... Autant de représentations d'un *point de passage*.

Je ne comprends toujours pas où elle veut en venir, mais elle s'enflamme, et ses joues pâles se teintent de rouge. La cérémonie d'accueil de ce matin l'a vraiment perturbée. Je décide de riposter :

– Sauf que le monde a changé ! Les religions perdent chaque jour de leur influence, et les anciens mythes comme les vieilles superstitions ne survivent plus que dans vos livres.

– C'est exact, réplique Mme Elia. Mais le monde a beau changer, certaines croyances restent malgré tout profondément ancrées en nous... Quoi qu'il arrive, le *point de passage* demeure.

Un instant de silence. Puis ses yeux trouvent les miens et ne les lâchent plus.

– Répondez donc à cette question, reprend-elle d'une voix plus douce. Qu'est devenue la barque de Charon ? Qui accompagne à présent les âmes des morts et celles des familles endeuillées ?

Et merde.

Elle m'a eu.

– Nous, je réponds dans un souffle.

– Vous, confirme Mme Elia. Les Edelweiss père et fils… Cette Maison a endossé un rôle millénaire, Daniel. Et il est temps pour vous de comprendre l'étendue de votre tâche.

9

Avec le week-end, c'est une foule plus joyeuse, plus bruyante qui envahit les couloirs de la Maison. Famille et amis viennent rendre visite aux reflets de leurs proches, jouant une petite musique que je connais par cœur : portes qui claquent, chuintement ininterrompu des pas sur les dalles lisses du sol, cris des enfants qui courent d'un salon à l'autre, se glissent à l'extérieur, se perdent dans le parc... Tous ces bruits montent jusqu'à ma chambre et me tirent doucement du sommeil. Je me frotte les paupières, étire mon corps endormi. J'ai rêvé, cette nuit, mais il ne m'en reste plus rien qu'un bizarre sentiment d'irréalité. Une tablette traîne sur ma table de chevet. Je l'effleure d'un doigt. L'écran se rallume, des chiffres clignotent. 10 h 45. Déjà ? Je me lève, marchant jusqu'à la fenêtre pour écarter les rideaux. Une lumière grise s'infiltre dans la pièce.

Dehors, le ciel ressemble à un plafond de marbre veiné de noir. Des nuages aux contours mouvants filent à toute allure vers le nord, révélant par instants le disque pâle du soleil. Les cimes des arbres du parc ondulent comme pour échapper aux doigts du vent. L'orage qui menace ne suffit pourtant pas à faire fuir les visiteurs : quelques silhouettes flânent autour du grand bassin.

Je m'habille avant de quitter ma chambre, traversant le long couloir désert. Il n'y a personne à l'étage, et j'ai l'impression de marcher entre deux mondes parallèles – en bas, le bruit et la vie ; ici, le silence. À cette heure-ci, papa est sans doute dans son atelier. Mme Elia, quant à elle, profite souvent du week-end pour sortir, s'éclipsant jusqu'au dîner. Que fait-elle au-dehors ? Je lui ai posé la question, une fois.

« J'ai de vieilles amies en ville, a-t-elle répondu. Je leur rends visite. Et puis je me balade, tout simplement. »

J'ai toujours du mal à l'imaginer *hors* de la Maison, avec d'autres personnes que nous.

Mais elle ne m'a pas oublié pour autant : un plateau m'attend sur la grande table de la salle à manger, avec une corbeille de pain grillé et un verre de jus d'orange frais. Je prends un rapide petit déjeuner, puis je descends les escaliers. L'agitation de la Maison me heurte de plein fouet à la seconde où je pousse la porte du rez-de-chaussée. Cette énergie nouvelle chasse pour de bon l'engourdissement de la nuit. C'est le plus efficace des réveils ! Des grappes de visiteurs déambulent joyeusement dans les couloirs. Je me faufile parmi eux. Soudain, par la porte entrebâillée d'un salon de réception, l'éclat d'une mèche dorée attire mon attention.

Au bout du couloir, une silhouette familière file vers la sortie. Cheveux blonds rassemblés en un chignon flou, épaules frêles, besace de cuir tressautant à son côté.

Daphné Maris.

Sans réfléchir, je m'élance à sa suite. Au même instant, une autre porte s'ouvre en grand et une famille entière déboule devant moi. Le temps de contourner le groupe et de rejoindre le hall d'accueil, la journaliste a disparu.

Décontenancé, je la cherche des yeux. Il y a vraiment beaucoup de monde, aujourd'hui : Lucile et Cali vont et viennent parmi les visiteurs, leur inaltérable sourire en place, expliquant aux nouveaux venus le fonctionnement de la Maison, invitant les habitués à prendre place dans le salon réservé pour eux. Les portes vitrées coulissent à intervalles réguliers, laissant chaque fois entrer une rafale de vent chargée d'humidité. Voyant Cali se glisser derrière le comptoir, je lui emboîte le pas.

– C'est moi ou la journaliste vient juste de passer ?

– Bonjour, Daniel, réplique-t-elle. Vous parlez de Daphné Maris ? Oui, c'était bien elle. Elle avait rendez-vous avec votre père ce matin.

– Encore ? je m'exclame. Pour quoi faire ?

Cali me regarde, l'air sincèrement étonnée.

– Vous n'êtes pas au courant ? Elle nous tient souvent compagnie, ces temps-ci. Son boss lui a commandé une nouvelle série d'articles sur la Maison. Vous devriez y jeter un œil, ajoute-t-elle avec une grimace qui trahit sa fatigue. Ils sont assez bons pour avoir fait grimper le nombre de visiteurs, ces derniers jours.

Puis elle s'éclipse sans me laisser le temps de lui poser davantage de questions. Dommage ! Car je commence à me dire que quelque chose cloche, dans cette histoire.

Quelques minutes plus tard, je suis dehors. Une bourrasque rabat mes cheveux sur mes yeux, le grondement lointain du tonnerre fait vibrer l'air. J'examine les environs, mais Daphné n'est nulle part en vue. J'enfonce mon menton dans le col de mon pull et je prends la direction de l'Arche, croisant en chemin plusieurs personnes qui se hâtent en sens inverse. L'orage semble imminent, les visiteurs regagnent enfin la Maison. Tant mieux : j'ai l'Arche pour moi seul ! Je m'assieds dans l'herbe, au pied de la fine structure d'acier. Au-dessus de moi, le vent pousse un troupeau de nuages boursouflés.

– Mona ?

Mon amie apparaît immédiatement. Elle a l'air soucieuse.

– Tu ne devrais pas rester ici, Dan, dit-elle. Il va pleuvoir.

Je hausse les épaules, tentant de donner le change, de faire comme si sa présence ne me troublait pas. J'ai l'impression d'oublier chaque fois sa beauté – et peut-être que c'est une bonne chose, car je ne me lasse jamais de la redécouvrir. Ses immenses yeux bleus, les boucles sombres de ses cheveux... L'espace d'une seconde, je me prends à penser que nous sommes mieux ainsi, *juste tous les deux*. Mais elle reste silencieuse, comme en suspens. Je me sens obligé de prononcer le nom de Matthias à haute voix. Mon ami surgit à son tour sous les arceaux de l'Arche.

– Salut, mec ! s'exclame-t-il. Tu sais qu'on annonce une bonne grosse pluie dans les quinze prochaines minutes ?

– Ouais, je sais. Vous êtes tous branchés sur la météo aujourd'hui ou quoi ?

J'ai répondu d'un ton agacé. Matthias et Mona échangent un regard perplexe. Je ne leur laisse pas le temps de revenir sur le sujet.

– Dites, vous saviez que Daphné était revenue à la Maison ? plusieurs fois ?

– On a entendu ça, acquiesce Matthias. Elle a écrit de nouveaux articles.

Je le note en rappel dans un coin de mon esprit, me promettant de les lire dès que je rentrerai.

– Au fait, ajoute Mona, tu as oublié Elliott.

J'hésite un peu, avant de secouer la tête.

Ce n'était pas un oubli. Je ne sais pas trop comment l'expliquer, mais chaque jour semble m'éloigner un peu plus d'Elliott. Comme si le Dan qui avait tout partagé avec lui était en train de disparaître, s'enfonçant lentement en moi, emportant avec lui ces souvenirs. J'ai mis du temps à me l'avouer, mais parfois Elliott m'agace. Sa voix enfantine, ses réactions.

Je lève les yeux pour contempler Mona et Matthias. Est-ce que ce sera pareil avec eux, une fois que j'aurai dépassé leur âge ? J'ai l'impression de me tenir au bord d'un gouffre. Mona et Matthias sont en bas, très loin, et je veux absolument les rejoindre, alors je saute dans le vide, accroché à un élastique. La vitesse me grise, je m'approche d'eux à toute allure, je fends les airs jusqu'à les toucher enfin... Sauf que le contact ne dure qu'un instant. Déjà, l'élastique me tire en arrière, m'entraîne vers le ciel, et l'écart entre nous se reforme aussitôt, plus abyssal que jamais.

Hum, peut-être ne devrais-je pas être aussi pressé de vieillir...

– Est-ce que ça va, Dan ? Tu as l'air un peu bizarre, ce matin.

La voix de Mona brise ma rêverie. Je m'aperçois que j'ai laissé mes pensées m'emporter loin d'ici. Il me faut quelques secondes pour lui répondre.

– Ça va. C'est juste que je… je réfléchis beaucoup, en ce moment.

– À quoi ?

À des milliers de trucs. Aux mots de Mme Elia et aux images que son discours a fait naître dans mon esprit, à mon père qui semble de plus en plus distant, aux reflets assis de l'autre côté de l'amphithéâtre, en rangs disciplinés, au regard à la fois perdu et heureux des parents de Julia, à ma mère qui lit paisiblement dans son fauteuil, chaque soir, à Mona… Mais je n'ai pas envie d'en parler. Alors je décide de mentir à mes amis.

– Je pensais à la mission que mon père m'a confiée. Le décor que je dois créer pour la Maison. Cela fait plusieurs jours que je cherche une idée.

– Tu as besoin qu'on te donne un coup de main ? demande Matthias.

– Vous seriez partants ?

Il se contente de hausser les épaules, ce qui signifie : *À toi de définir exactement ce que tu cherches, mon pote.* Scanner les milliers de données disponibles dans son système ne pose aucun problème à la Ruche, mais elle ne peut pas répondre à une demande mal formulée. Je me redresse sur un coude, réfléchis un instant.

– Je voudrais apporter quelque chose de nouveau à la Maison, dis-je enfin. Créer un lieu qui soit complètement différent de tous les autres décors existants.

Et la liste est longue !

– Il y a plusieurs restaurants, énumère Mona, des rues et des jardins, une salle de réception, la place d'un village de campagne, un paysage de bord de mer, des intérieurs de maisons en pagaille...

– Le chalet avec vue sur la montagne est déjà fait, lui aussi. Sans parler des multiples décors de ruines de l'amphithéâtre, enchaîne Matthias.

Une pensée venue de nulle part m'envahit. Je me redresse, sourcils froncés.

– On parlait d'Elliott, tout à l'heure. Où retrouve-t-il ses parents quand ils lui rendent visite ?

Ni Mona ni Matthias n'ont besoin de réfléchir à la réponse. La Ruche enregistre tout ce qui se passe à l'intérieur de la Maison.

– La chambre bleue, répondent-ils à l'unisson. Ou le restaurant de bord de mer, pour les occasions spéciales.

– Pas terrible pour un enfant de huit ans, non ? je remarque.

– Où voudrais-tu qu'ils aillent ?

Dans un lieu de jeux et de rires. Dans un endroit où Elliott pourrait promener ses grands yeux ébahis, où il pourrait piailler d'excitation, s'amuser vraiment. Bon sang, je crois que je viens de trouver mon décor !

– Une fête foraine, je murmure. Voilà ce qui manque à la Maison Edelweiss.

10

Fils des Ténèbres et de la Nuit, Charon se présente comme un vieillard laid, loqueteux et irascible, qui veille sur l'entrée des Enfers. Seules les âmes disposant d'une obole pour payer leur passage peuvent embarquer à ses côtés et remonter le sombre fleuve Styx, les autres étant condamnées à errer sur ses rives. On raconte cependant que quelques vivants arrivèrent à tromper sa vigilance : Héraclès, par exemple, usa ainsi de sa force, Psyché de sa ruse et Orphée de sa harpe.
(*Sur les rives du Styx : les mythes et divinités psychopompes à l'échelle du monde*, Iza Shinigami, éditions du Passage.)

Tout est noir autour de moi. Je flotte au milieu d'une gangue d'eau sombre qui m'emporte. *Vers où ?* Cette question agit comme un électrochoc. Elle déchire le voile d'apathie qui m'emprisonne, fait jaillir une bouffée d'angoisse pure... Je bats des jambes, mais le courant ne me laisse aucune chance, et une lame venue de nulle part me submerge soudain. L'eau s'infiltre dans mes narines, dans ma gorge, en un filet âcre. Je hoquette de panique, sentant mes poumons se remplir à leur tour. Je coule ! Puis quelque chose heurte mon épaule. Dans un réflexe désespéré, je tends la main, et mes doigts se crispent autour d'un bâton lisse.

On me tire. Ma tête crève la surface, j'avale une grande goulée d'air – il a le même goût que l'eau noire qui m'enveloppe, comment est-ce possible ? Une lueur blafarde a percé l'obscurité. Je distingue une forme sombre, qui flotte à un mètre de moi. C'est une barque. Une haute silhouette se dresse à l'avant. Entre ses mains, blanches et parcheminées comme celles d'une momie, il y a la barre à laquelle je me raccroche de toutes mes forces. Un frisson me parcourt l'échine.

Charon.

Le nocher des Enfers repousse brusquement le capuchon qui dissimule ses traits. Je me retrouve face à mon propre visage. Je hurle.

Je hurle.

Je hurle.

Je me réveille en sursaut, la nuque mouillée de sueur. Mes doigts tremblent de manière convulsive, comme s'ils voulaient me prouver que je suis bel et bien en vie, tandis que la peur pulse à mes tempes, pareille à celle d'un animal acculé, prêt à tout pour sortir. Je me laisse retomber sur le matelas en tâchant de maîtriser ma respiration. Bon sang, j'ai rêvé du Styx ! Difficile de retrouver mon calme après ça. Au bout d'un moment, je prends conscience du bruit des gouttes d'eau qui cinglent la vitre. L'orage a éclaté en début de soirée. Je m'extirpe des draps et ouvre la fenêtre. Une bourrasque s'engouffre aussitôt dans la chambre, des gouttelettes froides roulent le long de mes joues, s'insinuent sous le tissu de mon pyjama. La peur reflue d'un cran.

Mais ce n'est pas assez.

Quelques minutes plus tard, je me retrouve sur le perron de la Maison. J'hésite un instant avant d'aller plus loin. Je ne sais pas exactement ce que je fais ici : je sais juste que je dois sortir. C'est un besoin impérieux, comme si j'étouffais, comme si la Maison avait rétréci... C'est terrifiant, aussi, car c'est la première fois que je ressens quelque chose de semblable. Mais je finis par m'élancer. La pluie brouille la nuit, scinde le parc en lamelles d'ombres étroites, me trempe entièrement. Je lève la tête vers le ciel, vaste toile de néant, et je ressens un tel soulagement, soudain, que j'ai envie de rire à la face du monde endormi. Je suis vivant !

La terre molle avale mes orteils, les herbes gorgées d'eau appuient leur caresse, et l'odeur du parc explose, comme s'il s'ébrouait lui aussi. Les arbres rêvent-ils du Styx ? J'accélère, sans même savoir pourquoi. Je veux grimper au vieux cèdre, je veux voir la ville sous la coupole argentée de l'averse. L'écorce est glissante sous mes doigts. Je monte vite, pourtant, poussé par un sentiment d'urgence.

Voilà, je suis en haut.

Et d'un coup, mon exaltation retombe. N'était-elle qu'une couche que la pluie a rincée, comme elle a lavé mes cauchemars ? J'ai l'impression de me voir d'en haut, à présent, et la perspective n'est pas formidable : un garçon de quinze ans, seul dans une Maison emplie de reflets, piégé entre un père vivant mais absent, une mère morte mais présente, et une gouvernante fantasque. Les lumières de la ville s'étalent en larges corolles jaunes. Je repense à mon rêve, aux yeux sans fond de Charon. De quoi ai-je eu peur ? La question s'insinue dans mon cerveau.

De la mort ?

Perché à la cime de mon arbre, je secoue la tête. Papa a toujours dit qu'on craignait ce que l'on ne connaissait pas. Je suis né dans une Maison de départ. Je n'ai pas peur de la mort : j'en ai l'habitude.

Un soupir venu de loin m'ébranle.

Qu'est-ce que tu fais ici, Dan ? je murmure pour moi-même.

J'ai la sensation d'être en suspens.

D'attendre quelque chose, depuis toujours. Mais quoi ?

Des points de lumière attirent mon attention, à la périphérie de la ville. Je plisse les yeux, place une main en visière pour me protéger de la pluie. Ils s'allument les uns après les autres, dessinant un cercle qui entame une lente rotation. Je mets un moment avant de comprendre ce dont il s'agit.

Une grande roue.

11

Qu'est-ce qui m'a pris, hier soir ? La question jaillit dans mon esprit à l'instant où j'ouvre les yeux. La fébrilité qui m'a emporté la veille est retombée et, avec elle, les dizaines de pensées qui tourbillonnaient sous mon crâne lorsque je me suis couché. À croire que ma tête est une grosse boule à neige que j'ai un peu trop agitée.

Derrière la fenêtre, le ciel a troqué l'habituel manteau gris du mois de mars pour ce bleu lumineux des lendemains de pluie. Des images de mon escapade nocturne me reviennent. Les lumières, la grande roue sur la ligne noire de l'horizon... Le signe que j'attendais. Et puis il y avait cette certitude qui m'emplissait, alors que je glissais dans le sommeil. *Je dois sortir de la Maison.*

C'était terrifiant.

C'était grisant. Mais tout cela paraît plus irréel, à présent.

Ai-je rêvé ? J'en viens même à me poser la question. Puis je me redresse. Mon pyjama gît au pied du lit, là où je l'ai abandonné, encore trempé de l'averse de la nuit, et des traces d'herbe et de boue séchée maculent les draps blancs. La certitude resurgit alors, plus claire encore que la veille. Oui, je dois sortir.

Je me lève avant de changer d'avis, attrapant un jean et un tee-shirt dans mon placard. Mes doigts tremblent – je m'en rends compte, et une bouffée d'agacement m'envahit. Suis-je en train d'angoisser à la seule idée de mettre les pieds hors de la Maison ? Je secoue vigoureusement la tête pour chasser cette idée. La main qui comprime ma gorge relâche un peu son étreinte. Cette crainte du dehors n'est qu'un héritage familial, quelque chose que je suis libre d'accepter ou non… Et ce matin-là, je décide de le refuser. Mme Elia a raison, au fond : il est temps pour moi d'agir comme n'importe quel garçon de mon âge.

J'enfile rapidement mes vêtements, m'apprête à quitter ma chambre, quand quelqu'un frappe à la porte – pas à la *vraie* porte, mais à celle qui se découpe sur le mur du fond, au milieu du décor projeté dans la pièce. Je n'ai pas le temps de réagir. Sans attendre de réponse, ma mère entre.

Raté pour le départ clandestin que je prévoyais... Note pour la prochaine fois : penser à désactiver mes lentilles.

– Mauvaise nuit ? demande-t-elle.

Elle porte un pull bleu dont l'encolure dévoile le tracé délicat de ses clavicules. Son expression est neutre, seul un sourire tranquille s'affiche sur son visage. Ce n'est pas dans ses habitudes de surgir ainsi, sans même avoir été appelée. Mais la Ruche, qui enregistre toutes les allées et venues de la Maison, a dû repérer ma sortie nocturne. Et en langage IA, ce type de comportement qui dévie soudainement de mes habitudes s'appelle une anomalie.

– Ça va, je réponds. Je vais sortir, ce matin. Aller en ville.

Ses sourcils s'arquent en une mimique de franche stupeur.

– Sortir ? répète-t-elle. Mais pourquoi ?

– Papa m'a demandé de réfléchir à la création d'un nouveau décor pour améliorer la Maison. Alors j'ai pensé à une fête foraine.

– Il te suffit de faire des recherches sur Internet.

Je secoue la tête, catégorique.

– Sûrement pas ! Ce ne serait pas digne de la Maison Edelweiss. Je veux que mon décor soit aussi réaliste, aussi précis que nos reflets. Tu comprends ?

– Oh.

Elle a l'air un peu perplexe, mais je sais déjà que l'argument a porté. Car ce n'est pas ma mère que je vise à présent : c'est la Ruche, et ce dévouement pour la Maison que mon grand-père a ancré en elle le jour où il l'a conçue.

– Ne dis rien aux autres, d'accord ? Sauf s'ils commencent à s'inquiéter.

Elle acquiesce et m'observe sans un mot tandis que je tire un vieux sac à dos du placard. J'hésite une seconde – que suis-je censé emporter ? Je finis par y glisser une tablette, un bloc de papier qui n'a jamais servi et un crayon, puis j'ajoute à ce butin les quelques billets qui constituent ma cagnotte personnelle.

– Sois prudent, me lance maman lorsque je pose la main sur la poignée de la porte.

– C'est bon, je ne pars pas en expédition dans la jungle…

J'ai assorti ma réponse d'un sourire confiant. Au fond, cependant, je n'en mène pas large.

La Maison est encore calme à cette heure. Je traverse les couloirs sans croiser quiconque, salue Cali qui est en train de s'installer à l'accueil, puis je m'engage dans l'allée gravillonnée qui serpente entre les arbres. De petites flaques d'eau claire se sont formées par endroits, reflétant les rayons du soleil matinal. Je franchis le portail en fer forgé de la Maison.

Ça y est, je suis dehors !

Mon cœur bat à grands coups. Je me sens plus fort, soudain, comme si j'étais sur le point d'accomplir un exploit. Maintenant, il est temps de me lancer dans la première mission de la journée : réussir à atteindre la grande roue que j'ai cru voir hier soir.

Je consulte l'écran du bracelet connecté que j'ai pris soin d'emporter. Mme Elia me l'a offert pour mon quinzième anniversaire, quelques mois plus tôt, mais c'est la première fois que je m'en sers. Je me rappelle m'être demandé ce qui était passé par la tête de ma gouvernante lorsque j'ai déchiré le papier cadeau. À quoi ce bracelet était-il censé me servir ? Je n'ai pas d'amis à qui téléphoner ou avec qui converser sur les réseaux sociaux, et je n'ai pas vraiment besoin d'un écran supplémentaire à l'intérieur de la Maison.

Mais aujourd'hui, je remercie mentalement Mme Elia. Je lance la fonction de géolocalisation. L'application se synchronise aussitôt avec mes lentilles et une grande flèche bleue apparaît dans le coin gauche de mon champ de vision. Ne me reste plus qu'à descendre la rue jusqu'à la bouche de métro, cinq cents mètres plus loin. Le nœud d'angoisse revient sournoisement. Je balaye les alentours du regard, les élégants immeubles de pierre blanche avec leurs balcons en encorbellement, les arbres au tronc cerclé d'une grille, leurs branches qui s'élancent vers les étages... Pour un peu, je m'attendrais à voir surgir la petite bande de lycéens, si familière, au prochain croisement. Mais il est encore un peu tôt pour cela.

Les premières silhouettes apparaissent en même temps que l'arcade du métro. Les passants pressés s'y engouffrent, et j'ai l'impression de plonger dans un torrent furieux lorsque je me mêle au flux. Plus le temps de réfléchir, je me laisse emporter. Puis, une fois sur le quai, je me retrouve à jouer des coudes pour me faufiler dans une rame bondée. Je pensais avoir l'habitude du monde – certains week-ends, les couloirs de la Maison sont pleins –, mais là, c'est autre chose ! Des corps se serrent contre moi, ça bouge, ça soupire, ça fixe les autres voyageurs d'un regard vide. Très vite, je me sens oppressé. Mais je n'ai pas envie qu'on remarque mon malaise, alors j'essaie de m'adapter au roulis de la rame, de faire comme si j'avais l'habitude d'être là. Les noms des stations défilent sur les panneaux d'information, entrecoupés d'holopubs. Le trajet dure plus longtemps que je ne le pensais.

Quarante minutes plus tard, c'est le terminus. Je descends de la rame, remonte les escaliers et émerge à la surface dans un vacarme d'automobiles en furie. Je m'immobilise en découvrant ce qui m'entoure. La ville a drôlement changé d'allure pendant mon voyage. Face à moi, des tours grises s'alignent en une perspective déprimante. La boucle d'un énorme échangeur routier barre l'horizon, et des arbres décharnés semblent ployer d'ennui. Mais une vision éclaire soudain ce paysage morne : la grande roue ! Sa courbe argentée apparaît entre deux bâtiments. Elle n'est plus très loin, et j'accélère le pas, le regard rivé à ce point de repère.

L'avenue s'achève d'un coup, venant mourir sur les flancs d'une route à quatre voies. Je lance l'application *livephoto* sur mon bracelet. La flèche bleue disparaît de mon champ de vision, remplacée par un point rouge qui clignote une seconde. Ainsi, je n'aurai qu'à effleurer la surface du bracelet pour prendre une rafale de clichés – au cas où, pour une fois, ma mémoire ne me suffirait pas à enregistrer tout ce que je verrai.

La fête foraine est là, de l'autre côté de la route, installée sur une vaste aire bétonnée. Une enseigne lumineuse trône au-dessus du portique d'entrée. Derrière, j'aperçois plusieurs attractions. La grande roue, bien sûr, avec ses nacelles qui se balancent doucement dans le vide ; les rails ondulants d'un grand huit ; un immense bras de métal jaune au bout duquel s'agitent des rangées de sièges circulaires... Je prends une série de photos, avant d'emprunter le pont qui traverse la quatre-voies. Une bouffée d'excitation me fait sourire jusqu'aux oreilles.

C'est parti pour l'exploration des lieux !

12

Autant être honnête, ce n'est pas exactement le monde que j'espérais. Car à mesure que j'approche, la fête foraine perd de son éclat.

Il n'y a pas beaucoup de visiteurs à cette heure-ci, et j'avance dans des allées quasi désertes, entre des rangées d'attractions qui tournent à vide. Un flot de musique criarde se déverse des haut-parleurs, les manèges crissent et grincent, des dizaines d'odeurs se télescopent pour former un mélange sucré, parfumé, écœurant. Mais ce qui me marque le plus, c'est la pellicule de vieillesse qui paraît s'être déposée sur les lieux. Le soleil éclatant souligne cruellement les détails : les sièges des attractions sont parsemés d'écailles de rouille, les panneaux de bois des décors délavés par le temps, la lumière des néons vacille. Je suis dubitatif, un peu interloqué aussi. Je n'ai jamais vu un endroit de ce genre. Est-ce qu'il y a *vraiment* des gens qui viennent s'y amuser ?

À ma droite, des canards jaune fluo dérivent avec ennui dans un baquet d'eau, sous le regard éteint des affreuses peluches qui s'alignent le long des étagères. Un peu plus loin, des autos-tamponneuses attendent que quelqu'un daigne s'approcher d'elles pour les ramener à la vie. Je prends une nouvelle série de clichés, luttant contre la déception qui me gagne. Des odeurs de chocolat chaud et de caramel s'échappent d'une caravane rose et blanche, au coin d'une allée. Mon estomac se met alors à gronder bruyamment, me faisant remarquer que je n'ai pas pensé à manger quoi que ce soit avant de partir. Je glisse une main dans la poche de mon pantalon, en tire un billet, puis j'approche d'un pas timide. Derrière la vitre de la caravane, une femme huile les plaques rondes de ses crêpières. Concentrée sur sa tâche, elle ne me voit pas tout de suite – ce qui me donne le temps de l'examiner plus en détail. Ses cheveux décolorés, retenus sur ses tempes par un bandeau noir, pointent en arrière comme des crins de paille jaune, et des rides profondes marquent son front. Elle n'a pas l'air particulièrement avenante, avec ses joues pincées. Elle lève les yeux au moment où je formule cette pensée, et son visage se transforme en me découvrant.

– On a faim, mon petit monsieur ? s'exclame-t-elle. Je parie qu'une crêpe au caramel vous ferait bien plaisir !

Sa voix est chaude, enjouée, ses yeux brillent. Je lui tends un billet. Elle me tend en retour mon petit déjeuner, enroulé dans un cornet de papier brûlant, et je m'écarte pour manger tranquillement.

Autour de moi, quelques visiteurs commencent enfin à se montrer. Une poignée de gamins se répandent dans les allées, faisant apparaître les forains aux guichets des attractions. Les éclats de voix et les rires se mêlent à la musique. Bon, c'est déjà un peu moins déprimant. Un petit groupe se forme autour du stand de tir à la carabine : un type en blouson et casquette noire est en train de faire exploser les cibles une à une. Des applaudissements ponctuent chacun de ses tirs. Je l'observe longtemps, admirant son adresse.

Au bout d'un moment, ne sachant que faire d'autre, je tire le bloc-notes de mon sac. J'ai toujours été plus à l'aise avec la tablette graphique, mais j'ai l'impression que ça dénoterait au milieu de ce décor digne du XXe siècle. La silhouette de la grande roue surplombe les pavillons colorés. Je trace d'abord ses contours, à petits coups de crayon précis, puis je m'attaque à la cabane bariolée du *Palais des Glaces*, devant laquelle une maigre file d'attente est en train de se former. Je ne sais pas encore si je vais pouvoir tirer quelque chose de cette visite pour mon décor mais, puisque je suis là, autant aller jusqu'au bout, non ?

Le temps s'écoule sans que je m'en rende compte.

Lorsque je lève à nouveau la tête, le soleil a grimpé dans le ciel, noyant les attractions sous une lumière blanche et crue. Il dévie tout à coup de l'axe de la grande roue, derrière laquelle il se tenait caché jusqu'alors. Il me faut une seconde pour m'adapter à ce pic de clarté – mes lentilles se teintent doucement, jusqu'à ce que le monde reprenne une couleur acceptable. Je baisse les yeux.

Et je la vois.

Elle se tient droite, au pied de la roue, ses cheveux blonds dansant librement sur ses épaules.

Elle me regarde.

LA RENCONTRE

13

Pourquoi me dévisage-t-elle comme ça ? Je hausse un sourcil, l'observant en retour. Ses pommettes sont bien marquées, soulignées par un liseré de taches de rousseur. Son nez a une courbe légère, ses lèvres sont charnues. Je note aussi les couleurs : l'indigo pâle de sa robe, l'outremer de ses yeux, la blancheur de sa peau.

Je la fixe encore. C'est drôle, il y a quelque chose en elle qui frappe l'esprit, mais je n'arrive pas à déterminer quoi… Est-ce dans sa posture ? son port de tête, le mouvement de ses cheveux blonds ? Quelques mots de Mme Elia me reviennent à l'esprit. C'était une fois où elle essayait de m'expliquer que certaines personnes dégageaient une *aura*, je crois. Je n'avais pas prêté attention à ses paroles – elle devait être en train de critiquer les reflets, fidèle à elle-même… Je fouille dans ma mémoire, essayant de retrouver sa voix, mais elle s'est échappée. Quoi qu'il en soit, face à la fille, je me surprends à douter.

Une aura.

Pourquoi pas ? Comme un halo de fragilité et de lumière à la fois. Tout à coup, la fille sourit. Non, cette phrase n'est pas exacte : je suis si concentré qu'il me faut une poignée de secondes pour réaliser qu'il manque une précision essentielle.

Elle *me* sourit !

J'en reste sans voix. Ce sourire-là est une métamorphose. Elle était jolie, elle en devient ravissante – rien à voir avec la beauté pure de Mona, bien sûr, mais elle semble plus... Plus quoi ? Je n'arrive pas à trouver mes mots. Je presse discrètement mon bracelet, déclenchant une rafale de photos. Je veux garder une trace de cette vision, pour pouvoir l'étudier plus attentivement lorsque je serai de retour à la Maison. Bon, elle va peut-être finir par me trouver bizarre, à l'étudier ainsi... Mais je n'arrive pas à m'en empêcher. Comme si elle avait noté mon trouble, ses lèvres s'étirent encore. Incroyable comme un sourire peut être communicatif. Je me rends soudain compte que je voudrais en savoir plus sur elle.

Puis un groupe d'adolescents se plantent entre nous, coupant le lien qui nous unissait. Je lâche un sifflement agacé à l'idée de la perdre de vue. C'est ridicule de s'énerver pour si peu – les gens ne disparaissent pas d'un simple clignement d'œil, comme les reflets…

Alors, sans réfléchir, je me faufile au milieu du petit groupe. C'est la première fois que je me retrouve à proximité d'autant de jeunes de mon âge, mais je m'en fiche, mon attention est tout entière concentrée sur la fille aux cheveux d'or. Elle réapparaît, à un mètre à peine de moi. Qu'est-on censé dire, dans ce genre de situation ?

– Euh… Salut ?

Il y a des paillettes claires dans le bleu de ses iris, comme des particules de lumière en suspension.

– Salut, me répond-elle.

Sa voix est chaude, enveloppante.

– Je t'ai vu, tout à l'heure, ajoute-t-elle. Tu étais en train de dessiner, pas vrai ? (Je me contente d'acquiescer prudemment.) Tu me montres ?

Je baisse les yeux pour découvrir que je tiens toujours mon bloc-notes. J'hésite un instant, puis je le lui tends. Ce n'est pas très impressionnant : il n'y a qu'une seule page de griffonnée. Mais elle détaille mon croquis d'un air sérieux, un long moment.

– Tu es doué, dit-elle finalement. C'est drôle que tu aies choisi la grande roue, comme sujet d'inspiration. C'est l'attraction qui a le moins de succès.

– Ah ?

Elle hausse les épaules :

– Il paraît qu'avant, on se bousculait pour voir le paysage du haut de ces nacelles. Toutes les grandes villes avaient leur propre roue... Mais les gens s'en sont lassés. Ils préfèrent la vitesse, les sensations fortes. Et puis, j'imagine qu'on peut trouver des projections 3D de n'importe quel panorama sur le Web, maintenant. Du coup, la grande roue n'est plus qu'une sorte de panneau publicitaire géant pour les forains.

– Tu as l'air de savoir de quoi tu parles.

Nouveau sourire, avec cette fois une pointe d'amusement.

– Mes parents tiennent le *Palais des Glaces*. Le gros machin qui clignote, là-bas. Je pourrais te faire visiter, si ça t'intéresse.

Je m'empresse d'accepter.

– Au fait, je m'appelle Daniel. Daniel Edelweiss.

– Edelweiss, répète-t-elle en semblant goûter la sonorité de ce mot. Quel nom étrange !

– C'est une fleur des montagnes.

Ses yeux s'agrandissent, faisant voltiger les paillettes dorées.

– Alors on était faits pour se rencontrer, dit-elle. Je m'appelle Violette. Et elle, c'est Esther, ma sœur jumelle.

C’est alors, et alors seulement, que je remarque la silhouette sombre qui se tient à côté d’elle. Jumelle ? Difficile d’imaginer plus différent que ces deux filles. Jean noir, pull assorti et cheveux châtains, la dénommée Esther ne respire pas la joie de vivre. Ses yeux gris me passent au crible. Mal à l’aise, je reporte aussitôt mon attention sur Violette.

– Tu me suis ? s’exclame-t-elle.

14

La fête foraine m'a semblé étrangère, au premier abord, un peu rouillée ; mais avec Violette pour guide, elle devient un incroyable labyrinthe à explorer. Je la suis d'attraction en attraction. Partout, son sourire nous sert de ticket d'entrée. Les coulisses du *Palais des Glaces*, les wagons jaunes du grand huit, l'effroyable *Shaker Monster* qui nous secoue dans tous les sens, si fort que je crois tourner de l'œil, la maison hantée, ses faux squelettes en plastique et ses hurlements enregistrés… J'ai voulu sortir de chez moi, découvrir autre chose ? C'est réussi.

À un moment, je me rends compte que la sœur jumelle de Violette s'est éclipsée. Depuis combien de temps ? Je n'en ai pas la moindre idée. Je l'oublie rapidement pour me concentrer sur Violette. La jeune fille parle sans cesse. Elle me raconte l'histoire des manèges, me présente aux forains que nous croisons en chemin... C'est comme si elle avait contenu un flot de paroles pendant des jours et que le barrage cédait soudain. Moi, je l'écoute. Il y a quelque chose de fascinant dans la façon dont son visage s'anime, lorsqu'elle se met à rire. Elle ne me pose pas de questions, ne me demande pas d'où je viens. Ça ne me dérange pas.

La journée passe à toute allure. Lorsque j'ai enfin le temps de reprendre mon souffle, le soleil est en train de tomber à l'horizon. Violette m'entraîne vers la grande roue. C'est le meilleur endroit pour assister au coucher du soleil, dit-elle. Nous nous installons dans une nacelle bleu pastel, qui s'élance vers le ciel dans un grincement de métal torturé. Puis le jour s'éteint peu à peu, ne laissant qu'un halo de clarté au-dessus de la ville. Violette avait raison, le spectacle est magnifique.

Au bout de quelques secondes, je m'aperçois que Violette s'est tue. Ses yeux fixent le ciel, au loin. Ce n'est que lorsque nous atteignons le sommet de la grande roue qu'elle reprend la parole :

– C'est mon moment préféré. Cette seconde où l'on arrive en haut, tout en haut... et qui précède la plongée vers le vide.

Sa voix a pris un timbre nouveau, on dirait qu'elle s'est chargée de nuit. Je tourne la tête vers elle, capte un je-ne-sais-quoi de triste dans son regard. L'espace d'un instant, mon ventre se contracte. Mais la sensation disparaît aussitôt : Violette sourit à nouveau, et son bras frôle le mien. Je baisse les yeux, observe cet endroit où ma peau touche la sienne. C'est étrange, ce contact... Si étrange que j'en frissonne, retirant brusquement mon bras. Violette hausse un sourcil.

– Tu as l'air bizarre, remarque-t-elle. Ne me dis pas que tu as le vertige !

Je secoue la tête.

– Je n'ai pas peur du vide. C'est juste que tout ça me paraît tellement éloigné de mon quotidien... Je me demande comment je vais pouvoir y revenir.

– Qu'est-ce qu'il a de spécial, ton quotidien ?

– Je vis dans une Maison de départ.

Je n'ai pas besoin de lui en dire plus. Son sourire se crispe.

– Là où on fait revenir les morts ? s'exclame-t-elle. Encore plus bizarre que le *Palais des Glaces* !

Elle a dit ça d'une voix enjouée, comme si cela l'amusait, mais son regard s'est voilé. Violette est mal à l'aise, je le vois bien... Grâce à Mme Elia, je sais depuis longtemps que certaines personnes n'aiment pas les Maisons de départ, mais je n'en ai jamais rencontré. À part ma gouvernante acariâtre, bien sûr. Je décide de changer de sujet pour ne pas l'ennuyer davantage.

– Je pourrai te revoir ?

La gêne s'efface. Violette rit doucement.

– Peut-être, dit-elle, mais il faudra que tu sois imaginatif. Nous partons demain. (Sa main dessine un cercle, englobant la fête foraine tout entière.) Pour une autre ville... Loin, loin d'ici.

– Oh.

– Oh ? répète-t-elle, amusée. T'es drôlement expressif, comme garçon.

Je fais de mon mieux pour le cacher, mais ça me fiche un coup. Elle est la première personne que je rencontre à l'extérieur de la Maison, et elle s'apprête à disparaître ?

– Tu as une adresse mail ?

– Pas de réseau Internet dans les caravanes, répond-elle.

Donc, il existe encore des gens qui vivent sans Internet.

– Ne me demande pas non plus mon numéro, ajoute Violette. Je n'ai pas de téléphone. Je ne saurais pas comment l'expliquer, mais j'ai toujours détesté ça. Selon ma sœur, je suis au-delà de la ringardise... Tu vois, je n'exagérais pas quand je disais qu'il te faudrait de l'imagination !

Nous gardons le silence tandis que la nacelle poursuit sa descente. Est-ce à cause du sol qui se rapproche à nouveau ? Je prends soudain conscience que cette journée est sur le point de se terminer. Je voudrais ne rien oublier de ce que j'ai vécu aujourd'hui, je voudrais que tout reste gravé dans ma mémoire… Je laisse mon regard dériver, enregistrant ce qui m'entoure. Les toits de la ville qui luisent comme des plaques d'obsidienne, les réverbères qui s'allument les uns après les autres, les lumières des manèges, la couleur des cheveux de Violette dans le crépuscule, ce blond cendré, presque bleu. Je sens son parfum, aussi, un parfum de fleurs blanches et de miel, et c'est peut-être ce qui me marque le plus. Chez moi, personne n'a d'odeur.

Bientôt, la nacelle s'immobilise dans un claquement sonore. Violette relève la barre de protection et saute sur le sol. C'est alors que nous remarquons trois silhouettes discrètes. J'en reconnais une : Esther, la jumelle. Elle recule un peu quand je descends à mon tour de la nacelle, pour se fondre dans le crépuscule. Les deux autres se sont approchées de Violette – ses parents, je le devine. Les lumières de la fête foraine teintent leur visage d'éclats colorés.

Ils ont l'air inquiets.

– Violette ? entame sa mère. Qu'est-ce que… ?

– Une seconde. (Violette se tourne vers moi.) Il faut que tu y ailles, maintenant. Au revoir, Daniel Edelweiss.

Je comprends à son ton qu'il n'est pas question d'insister. Un curieux poids s'abat sur mes épaules et, sans un mot de plus, je fais demi-tour. Je sens des regards dans mon dos tandis que je m'éloigne. Puis je me mêle au fil ténu des derniers visiteurs qui quittent peu à peu les allées de la fête foraine.

Le portique d'entrée clignote toujours de mille feux. Une femme vêtue d'une robe rouge est plantée là, distribuant des prospectus. Je la laisse m'en fourrer un dans la main – c'est un simple bout de papier aux couleurs criardes, sur lequel s'égrènent dates et noms de villes imprimés en caractères gras. Je le roule en boule, l'enfonce dans ma poche et quitte les lieux pour de bon.

RETOUR À LA MAISON

15

Je rentre sans même m'en rendre compte, me glissant à la façon d'un automate au milieu d'une rame de métro bondée. J'ai l'impression d'emporter avec moi un millier de sensations, de couleurs nouvelles. Les panneaux publicitaires lumineux et les parois obscures des tunnels s'effacent autour de moi, les voix des passants s'éteignent avant même d'avoir atteint mes oreilles. Des images se bousculent dans mon esprit. Je me revois au milieu des attractions, je ralentis mes souvenirs, les examine en détail. Puis je réalise que j'ai à peine songé aux cours, aux reflets, à ma famille aujourd'hui... Même à Mona ! Pendant quelques heures, elle est passée en arrière-plan. Cela me chiffonne un peu. Comment peut-on s'éloigner autant de sa propre vie en une seule journée ? Mais je me promets de tout lui raconter dès mon retour.

La nuit s'est installée pour de bon lorsque je franchis le portail de la Maison Edelweiss. Loin au-dessus de la ville, les premières étoiles s'allument, et un fin croissant de lune flotte à la cime des arbres du parc. Je ralentis le pas, hésitant à regagner ce monde qui me semble si étroit, tout à coup. Je remarque alors un détail étrange. Le rez-de-chaussée de la Maison est éclairé. À cette heure-ci, tout devrait pourtant être fermé. Je me remets en marche, vite, pour gagner le perron.

Les portes vitrées glissent devant moi avec leur chuintement habituel.

Je me fige aussitôt.

Un petit comité d'accueil s'est rassemblé là, qui m'attend visiblement depuis un moment. Un instant de silence salue mon arrivée, suspendu et glacial. Puis tous se remettent à bouger – leurs gestes ont la vivacité nerveuse de ceux qui sont trop longtemps restés tendus par l'inquiétude. Une bouffée de culpabilité me brûle les joues. L'idée qu'on ait pu s'alarmer de ma disparition ne m'a pas effleuré de la journée...

Mon regard saute de l'un à l'autre. Il y a là Lucile, qui ôte son casque téléphonique en poussant un soupir de soulagement ; Cali, dont les longs cils frémissent encore d'appréhension. Mme Elia, bien sûr, qui m'adresse un regard chargé de colère, les bras croisés sur la poitrine.

Et, plus inattendu, grand-père Edelweiss. Le patriarche de la Maison m'observe avec un air soucieux, les mains repliées sur le pommeau de sa canne.

– Où étiez-vous passé, Daniel ? lance enfin Lucile.

Je sens la fatigue dans sa voix. Il est tard et, comme Cali, elle devrait déjà être rentrée chez elle.

– Nous vous avons cherché partout, ajoute-t-elle. Nous avons même failli prévenir la police !

Je n'ai même pas pensé à préparer une réponse, alors je bredouille :

– Je… je suis sorti.

– Oh, vraiment ? siffle Mme Elia, qui ressemble soudain à un dragon furibard. Et vous ne vous êtes jamais dit que vous auriez pu nous prévenir de cette absence ?

J'ai brièvement tourné les yeux vers grand-père Edelweiss. Elle surprend mon mouvement – évidemment, cela ne fait que l'énerver davantage.

– Pas de ça, Daniel !

– Quoi ? je proteste.

– Je sais que vous avez parlé au reflet de votre mère avant de partir, ce matin, réplique-t-elle. Grand-père Edelweiss a fini par nous l'avouer lorsqu'il a vu que nous commencions à nous inquiéter sérieusement. Mais je parlais de prévenir *quelqu'un*, pas *quelque chose*.

Que suis-je censé répondre à cela ? Mme Elia reprend son souffle, pour ajouter d'une voix plus douce :

– Où étiez-vous, Daniel ?

– À une fête foraine. Je travaillais sur mon projet de décor.

– Et cela vous a pris toute une journée ?

– Je suis perfectionniste.

Et surtout, cela ne la regarde pas. Ma vieille gouvernante secoue la tête pour me faire comprendre qu'elle n'est pas dupe. De mon côté, j'hésite un instant avant de poser la question qui me brûle les lèvres depuis que je suis rentré. Car il ne manque qu'une personne autour de moi.

– Papa ?

– Il n'a pas mis les pieds hors de son atelier depuis hier soir. Il ne s'est donc rendu compte de rien, et je n'ai pas jugé bon de lui faire partager notre agitation. Dépêchez-vous de monter dîner, ajoute-t-elle en faisant demi-tour. Ensuite, vous me ferez le plaisir de disparaître dans votre chambre.

Le petit groupe se disperse sur ces derniers mots. Je salue Cali et Lucile, qui enfilent leur manteau, puis je gagne la salle à manger au pas de course. Un saladier de tomates au basilic trône sur la grande table, aux côtés d'une part d'omelette refroidie depuis longtemps. J'avale mon repas en quelques bouchées, avant de rejoindre ma chambre. Lovée dans son fauteuil, ma mère somnole. Je marche aussi silencieusement que possible jusqu'à mon lit, y dépose mon sac et ma veste. Lorsque je me retourne, elle a ouvert les yeux.

– Tu as trouvé ce que tu cherchais ? demande-t-elle.

Je ne réponds pas tout de suite, prenant quelques secondes pour réfléchir.

– Non, dis-je enfin. En fait, je crois que j'ai trouvé mieux.

16

Le lendemain matin, c'est le chatouillis tiède d'un rayon de soleil sur ma joue qui me tire du sommeil. Je n'ai pas fermé les rideaux la veille et, derrière la fenêtre, le parc finit de s'éveiller sous la clarté matinale. Je reste allongé un instant, me demandant ce que je vais pouvoir faire de ma journée. Après les surprises de la veille, n'importe quel programme me paraît faible… Et si je ressortais ? Pendant une seconde, cette idée me traverse franchement l'esprit. Je finis par la repousser. Une fois, c'était déjà bien, non ?

Quelques minutes plus tard, je quitte ma chambre. En bas, une poignée de visiteurs arpentent déjà les couloirs de la Maison. Je passe devant la porte entrouverte d'un salon, y jette un œil par habitude, juste le temps d'apprécier le choix du décor – une véranda baignée de lumière et de végétation. Une petite dame observe avec tendresse son mari, qui se balance dans un fauteuil en rotin. Puis j'entends la voix d'une troisième personne, derrière eux. Je la reconnais sur-le-champ.

Grand-père Edelweiss !

Ma réaction est immédiate – *cligne cligne cligne* ! Les images de la véranda et de grand-père se désagrègent en une bouillie de pixels, tandis que je file en direction du hall d'entrée. Là aussi, tout est plutôt calme. Lucile est en train d'expliquer le fonctionnement des lentilles 3D à un couple. Un peu plus loin, Cali s'affaire derrière le comptoir. Elle lève la tête en me voyant passer, se détourne aussitôt – j'ai juste le temps de déceler une lueur de reproche dans ses yeux. On dirait qu'elle m'en veut encore pour hier soir.

Puis, alors que je m'apprête à sortir de la Maison, je croise son image qui se reflète dans les portes en verre. Son regard est rivé à mes épaules, et elle est en train de parler dans son casque téléphonique. Sûr que c'est Mme Elia, au bout du fil… Je suis donc sous surveillance rapprochée. Je lance à la cantonade :

– Pas de panique, je ne m'éloigne pas !

Puis je saute sur le perron.

Un vent frais balaie le parc, créant des ridules à la surface du bassin. Je marche en direction de l'Arche, encore déserte, et m'installe sous les arceaux centraux.

Un oiseau qui fouissait le sol du bec s'envole en criant, dérangé par mon intrusion. Son plumage est d'un vert éclatant, je n'en ai jamais vu de pareil. Je le suis du regard jusqu'à ce qu'il disparaisse derrière le mur d'enceinte. Puis, pendant quelques secondes, je me contente d'écouter. Le bruissement des branchages agités par le vent, la rumeur de la ville au loin, le sifflement léger de l'air que je respire... Sur les branches noueuses du jasmin, des bourgeons verts pointent, et l'odeur de l'herbe humide de rosée me chatouille les narines. Je crois que j'avais oublié à quelque point la Maison peut être belle et paisible. Est-ce qu'il suffit de s'en éloigner un peu pour qu'elle retrouve ses couleurs ?

Je réactive mes lentilles et murmure le nom de Mona. Mon amie apparaît aussitôt, comme si elle n'attendait que cela. Elle porte une chemise blanche, un jean clair, et ses cheveux sont retenus en une queue-de-cheval basse. Je l'admire un instant. Elle s'assied à mes côtés, puis j'appelle Matthias. Mais rien ne se passe.

– Il est avec sa famille, indique Mona. Ses parents sont venus pour la journée, avec quelques-uns de ses amis. (Elle s'interrompt, se penchant vers moi avec un sourire curieux.) Il paraît que tu es sorti, hier.

– Toute la Maison est déjà au courant ?

Mona hoche la tête.

– Évidemment. Qu'est-ce qui t'a pris ? Et où es-tu allé ?

Il me faut un peu de temps pour trouver les mots. Comment expliquer à Mona ce besoin subit d'agrandir mon horizon ? Je finis par tout lui raconter. La vision de la grande roue au milieu de la nuit, l'expédition en métro, la foule, le mouvement, et puis les manèges, encore la foule, mais différente. Lorsque j'arrive à l'apparition de Violette, les yeux de Mona se plissent.

– À quoi ressemble-t-elle ? demande-t-elle. Décris-la-moi.

Je m'exécute. Mona boit mes paroles.

– Tu sais ce qui est bizarre ? dis-je enfin. Quand je suis rentré hier, j'avais l'impression d'avoir accompli quelque chose d'énorme. J'étais euphorique, vraiment, et j'ai eu un mal fou à m'endormir. Pourtant, je n'ai passé qu'une seule journée hors de la Maison... Et je ne suis pas allé bien loin, en plus ! Tu crois que c'est normal, de trouver l'extérieur si dépaysant ? Les autres, ceux qui vivent dehors, ils vont et viennent sans même y penser, non ?

– Peut-être, répond Mona, mais c'est parce qu'ils ne connaissent pas la Maison. Pourquoi voudrait-on aller voir ce qu'il y a ailleurs ? Nous avons tout ce qu'il nous faut, ici.

Elle a parlé d'un ton tellement sérieux que je ne peux m'empêcher de lâcher :

– Sors de ce corps, grand-père Edelweiss !

Mona pouffe.

– Cette fille, reprend-elle. Violette. Est-ce qu'elle te plaît ?

– Hein ? je m'écrie. Non ! Pas du tout !

Super, je suis en train de rougir… Mona me fixe en silence. Je prends d'abord son expression pour une sorte de jalousie, avant de me rendre compte de mon erreur. Elle attend simplement ma réponse. Et elle l'attend avec beaucoup, beaucoup d'intérêt.

– Je te promets que non, dis-je avec la désagréable impression d'avoir à me justifier. C'est juste que Violette m'a paru… différente. Elle avait quelque chose d'imprévisible, tu comprends ? Sa façon d'agir, de parler.

Maintenant que j'y repense, je revois ses gestes, chaque fois nouveaux, chaque fois autres, comme un éventail infini de combinaisons.

– Différente de nous ? interroge Mona.

Elle a froncé les sourcils et semble absorbée par ses pensées, comme si cette idée l'avait entraînée dans une réflexion complexe. Je hausse les épaules, incapable d'en dire plus. Ce n'est qu'une vague sensation, pas encore assez précise pour que je puisse l'expliquer. Mais la question de Mona ne me quitte pas de la journée. C'est vrai, ça, *différente de qui* ? des visiteurs de la Maison ? des reflets ? de moi-même ?

17

L'arrivée sous l'Arche d'une famille au complet me pousse à laisser Mona. Il y a là une grand-mère aux cheveux fraîchement brushés, qui se presse nerveusement les doigts. Elle se tient bien droite dans son tailleur cerise, et une broche dorée brille sur sa poitrine. Ses enfants l'entourent, tous endimanchés... C'est drôle comme les vêtements peuvent en dire long sur les gens : il me suffit d'un coup d'œil pour comprendre l'importance qu'a cette visite à leurs yeux.

Comme toujours, les plus petits restent imperméables à la solennité de l'instant. Ils se répandent en nuée sous les arceaux fleuris, pépiant à la manière d'insatiables moineaux. Une jeune femme tente de les calmer – sans succès, évidemment. Puis la grand-mère prononce le nom d'un reflet. Je m'éclipse pour qu'ils puissent profiter de l'Arche, évitant de justesse un gamin lancé à toute allure. Alors que je m'éloigne, je ne peux m'empêcher de me retourner pour les observer encore, à la dérobée. La question de Mona résonne toujours à mes oreilles.

Et ces gens-là, est-ce qu'ils sont différents de *nous*, eux aussi ? Je me prends à chercher en eux ce que j'ai cru percevoir chez Violette, cette aura, ce quelque chose en plus. Mais la révélation n'est pas pour aujourd'hui, et je finis par abandonner. Cinq minutes plus tard, j'arrive en vue du perron de la Maison. Deux visiteurs discutent en bas des marches, un type d'environ vingt-cinq ans et une fille un peu plus âgée. Le ton de leur conversation monte. Les éclats de voix sont rares, ici ; je tends l'oreille instinctivement.

– Mais arrête, merde ! crie le garçon. Tu ne vois donc pas ? Ce n'est pas Matthias ! Ce n'est *plus* lui. C'est dingue, notre vieux pote est mort et personne ne s'en rend compte !

– Calme-toi un instant, OK ? réplique la fille.

Ils s'aperçoivent soudain de ma présence, se figent. Le garçon fait volte-face, le regard noir, et s'engage sur l'allée gravillonnée à grands pas. Il disparaît sous l'arche de pierre de l'entrée. La fille semble hésiter un peu. Elle finit par lui emboîter le pas, essayant de le rattraper.

Je pénètre dans la Maison, stupéfait de la scène à laquelle je viens d'assister. Cali se tient à côté des portes, elle a visiblement surveillé l'altercation de l'intérieur.

– C'était quoi, ça ? je murmure à son intention.

– Un visiteur qui pète un plomb, dit-elle. Il est sorti en trombe du salon de réception.

– Mais il s'agissait d'un ami de Matthias... Il a dit que ce n'était plus lui.

Cali s'aperçoit de mon trouble. Elle pose une main sur mon épaule, m'adresse un sourire rassurant :

– Ne vous inquiétez pas, Daniel. Ce genre de choses arrivent, vous le savez bien.

C'est vrai, certains visiteurs s'énervent parfois. Mais l'incident me laisse un drôle d'arrière-goût dans la bouche, une sorte d'inquiétude diffuse. Je finis par regagner ma chambre.

Ma tablette traîne sur ma table de chevet. Je l'attrape et, pris d'une impulsion, j'ouvre la galerie des photos, faisant défiler les clichés capturés dans les allées de la fête foraine. Mon moral remonte aussitôt. Les attractions alignées sous la lumière blanche du soleil, une grappe de ballons colorés, l'ombre de la grande roue sur le sol bétonné, Violette...

Chaque image m'éloigne un peu plus de la Maison.

18

Une craie à la main, Mme Elia s'agite devant le tableau noir. Je la suis machinalement du regard, luttant pour ne pas laisser mon attention s'évader par la fenêtre. Il est tentant, pourtant, ce petit carré de ciel bleu... Des formules mathématiques s'égrènent sur le tableau. D'habitude, je n'ai aucun mal à les comprendre, mais aujourd'hui, tout cela ressemble à un langage inconnu. Un nuage apparaît derrière la fenêtre, flottant paresseusement au-dessus des arbres du parc. Le vent l'étire, et je distingue soudain la forme d'un cheval dans la masse cotonneuse. Mon imagination s'emballe, j'ajoute une tige de bois sculptée, d'autres chevaux peints en un arc-en-ciel pastel, et le manège apparaît.

– Daniel ?

La voix de Mme Elia me ramène brutalement à la réalité.

– Vous me semblez bien distrait aujourd'hui, dit-elle. Mon cours ne vous intéresse pas ?

– Désolé. Je suis un peu fatigué.

– Fatigué ? répète-t-elle.

L'ironie que je perçois dans sa voix dissipe la mollesse rêveuse qui m'a pris dès le réveil. Je suis furieux, tout à coup, furieux contre ma vieille gouvernante.

– Vous voulez la vérité ? je m'exclame. En fait, je suis complètement paumé depuis ce week-end, et il se trouve que c'est votre faute ! Vous m'avez dit de sortir de cette Maison ; vous m'avez encouragé à me comporter comme un garçon de mon âge, à dépasser mes limites. Je vous ai obéi et maintenant je me retrouve à cogiter sans arrêt, sans comprendre ce qui m'arrive… Ce qui n'est pas très agréable, je vous assure.

Mes paroles me surprennent moi-même. Mme Elia me jauge un instant du regard. On dirait qu'elle se trouve face à un drôle d'animal dont elle essaie de déchiffrer les pensées. Puis elle demande :

– Qu'avez-vous vu, lorsque vous vous êtes aventuré hors de la Maison ?

Je réponds prudemment :

– Le métro. Un bout de la ville. Des gens… (Son sourcil droit dessine un accent circonflexe, m'incitant à continuer sur ce chemin.) Une fille.

La voilà qui esquisse un sourire. Ça y est, elle redevient agaçante !

– Ce n'est pas du tout ce que vous croyez, je me défends.

– Ai-je fait le moindre commentaire ? réplique Mme Elia. Aimeriez-vous la revoir ?

Cette fois, je me sens bête. Revoir Violette ? Je n'y ai même pas songé. Mme Elia s'en aperçoit à mon expression et elle soupire, à présent, comme accablée par ma réaction.

– Pourquoi ne ressortez-vous pas ? enchaîne-t-elle.

– Pour ne pas être déçu.

J'ai répondu du tac au tac, sans réfléchir.

– Déçu ?

– Tout était parfait, la première fois. Ça ne peut pas se passer aussi bien la deuxième, pas vrai ?

À cet instant, mon regard croise le sien : il y a tant de choses là-dedans que je suis incapable de le décrypter. Est-elle amusée, attendrie, agacée, moqueuse ? Puis elle hausse les épaules.

– C'est ça, la réalité, Daniel. Les illusions *mais aussi* les désillusions.

19

La journée se termine, les couloirs de la Maison s'emplissent à mesure que les salons se vident. Les visiteurs sur le départ disent au revoir aux reflets, je les entends promettre de revenir très vite, et une petite file se forme en direction du hall d'entrée. Je leur emboîte le pas. Soudain, une porte s'ouvre à ma droite. Une femme apparaît dans l'encadrement. Elle me tourne le dos, alors je ne la reconnais pas tout de suite – je ne vois d'abord qu'une nuque bronzée et des cheveux bruns coupés court.

– Je t'aime, mon cœur, dit-elle. Jusqu'au ciel et aux étoiles.

Puis elle mime un baiser, avant de refermer le battant. J'ai juste le temps de remarquer qu'il s'agissait de la chambre bleue. Elle fait enfin volte-face, et un sourire éclaire son visage lorsqu'elle remarque ma présence.

– Dan ! s'exclame-t-elle. Comment vas-tu ? Cela faisait longtemps que je ne t'avais pas croisé ici. C'est incroyable ce que tu as grandi !

C'est la mère d'Elliott. Un trouble désagréable m'envahit. Je bégaie une réponse... Heureusement, elle lève un poignet à hauteur de son visage et consulte sa montre.

– Mince, dit-elle, il faut que je file. À bientôt !

Je reste planté au milieu du couloir, mon esprit bloqué sur les derniers mots qu'elle a adressés à Elliott. « Je t'aime, mon cœur. Jusqu'au ciel et aux étoiles. » Ce sont les mêmes que ma mère prononce chaque soir, avant que je m'endorme. Je sais que c'est idiot, que des milliers de gens doivent utiliser ce genre d'expression, qu'elle ne nous appartient pas... Pourtant, je ressens un drôle de pincement dans la gorge.

C'est alors que la silhouette de Lucile apparaît, au bout du couloir.

– Ah, vous voilà ! s'exclame-t-elle en me voyant. Je vous cherchais. Votre père m'a demandé de vous transmettre un message.

Évidemment : il n'allait quand même pas me *parler*. Mais je devrais peut-être me réjouir qu'il ait confié son message à un être humain plutôt qu'à grand-père Edelweiss.

– Il va y avoir une Dernière Nuit, ce soir, continue Lucile. Vingt et une heures au salon bleu. Il compte sur votre présence.

Mes épaules s'affaissent.

Une Dernière Nuit ?

20

Nombreux sont ceux qui ignorent l'existence de la Dernière Nuit. Cette fonctionnalité avait pourtant été conçue comme l'accomplissement logique de tout reflet, mais elle est rapidement tombée dans l'oubli. Si l'on en croit les statistiques, moins de 5 % des visiteurs de la Maison Edelweiss la déclencheront un jour. Lorsqu'on l'interroge sur le sujet, Petro Edelweiss réfléchit un moment, pour finalement répondre par une question : « Qui accepterait de laisser partir un être cher alors qu'il peut le garder auprès de lui pour toujours ? »
(Extrait de l'article de Daphné Maris, paru dans le magazine *Regards Modernes.*)

Une chape de silence s'est abattue sur le salon, si dense, si lourde que j'ai l'impression de pouvoir la toucher du doigt. Les rayons du soleil couchant baignent la pièce d'une douce lumière orangée. Dehors, on aperçoit les contours impeccables d'un jardin à l'anglaise.

Nous sommes sept dans le salon bleu, cinq vivants et deux reflets. L'un de ces reflets n'est autre que grand-père Edelweiss : assis dans un fauteuil de velours crème, il tient la main de celle qui s'apprête à quitter la Maison et lui parle d'une voix douce. J'observe la femme. Je n'ai pas eu l'occasion de la croiser souvent, mais je sais qu'elle s'appelle Élisabeth, qu'elle a cinquante-trois ans et qu'elle a été victime d'un accident cérébral dix-huit mois plus tôt. En face d'elle, ses proches – époux, fils et fille, si je ne me trompe pas – semblent figés. Des sentiments mêlés se lisent dans leurs yeux : tristesse, hésitation, mélancolie... J'ai une furieuse envie de les secouer, soudain. Il n'est pas trop tard pour renoncer !

Mon père se tient un peu en retrait, mains croisées dans le dos, nuque tendue. Il n'en laisse rien paraître, mais lui non plus n'aime pas les Dernières Nuits. Il ne dira rien, cependant. Et tout comme lui, je reste silencieux. Ce n'est pas mon moment.

Pas ma décision.

Nos visiteurs sont libres de tout gâcher s'ils le souhaitent.

Élisabeth a l'air incroyablement sereine. Elle porte une robe rose qui met en valeur son teint clair. Ses cheveux grisonnants sont coiffés en boucles nettes, des perles blanches brillent à ses oreilles, et elle a ce sourire si beau, si paisible. Voilà que grand-père Edelweiss se lève, lui tendant la main à la façon d'un vieux gentleman. Elle l'accepte. Ses proches ont cessé de respirer. Ses yeux d'un bleu très pur s'arrêtent sur chacun d'eux. Elle leur parle, un à un. Les larmes commencent à glisser sur les joues, les mains tremblent.

Je détourne les yeux. Ce n'est pas la première fois que j'assiste à une cérémonie de la Dernière Nuit : mon père a toujours tenu à ce que je sois à ses côtés. Seulement, je ne parviens pas à m'y habituer. Toute cette souffrance inutile, cette fin imposée... Lorsque j'étais gamin, elles étaient plus fréquentes. Puis, au fil des années, les Dernières Nuits se sont espacées.

Comme chaque fois, je me surprends à croiser les doigts pour que ce soit la dernière.

Et puis vient l'ultime instant. Élisabeth se dirige vers une porte de bois blanc, à droite des baies vitrées, et quitte la pièce. Nous suivons un moment sa silhouette, qui s'éloigne en cheminant à travers le jardin. Elle disparaît enfin derrière un massif de buis.

Ça y est.

C'est fini.

Elle ne reviendra plus.

Les sanglots déferlent alors, les vrais, tranchants et inextinguibles, secouant les corps comme s'ils voulaient en décrocher les dernières bribes d'amour. Ceux qui restent s'enlacent. Je quitte le salon bleu avec un goût amer dans la bouche.

21

Ce soir-là, mon père se montre d'humeur étonnamment bavarde. Oui, *lui*. Il me fixe un long moment, comme s'il espérait que le poids de son regard me fasse réagir et que je me lance le premier. Mais je n'ai aucune envie de parler. Je n'ai envie de rien, d'ailleurs, je me sens triste et fiévreux ; et si je le pouvais, je foncerais jusqu'à ma chambre pour m'enfoncer sous ma couette, pour mettre fin à cette journée qui s'éternise. Je baisse les yeux vers l'assiette de soupe fumante que Mme Elia a déposée devant moi, y traçant de lentes volutes avec le dos de ma cuillère.

– Daniel ?

Je fais comme si je ne l'avais pas entendu. Papa pousse un léger soupir.

– Je n'ai jamais aimé l'idée de te savoir hors de la Maison, dit-il. Je sais bien que tu as grandi et que tu n'es plus un enfant sans défense, mais cela ne change rien pour moi. Il me suffit de t'imaginer loin d'ici pour que je ressente… (il cherche un instant ses mots) de la gêne, je crois. Un pincement désagréable.

Alors il sait que je suis sorti de la Maison ? S'il y a une chose à laquelle je ne m'attendais pas, c'est bien celle-là. Je me tourne aussitôt vers Mme Elia. Elle se tient dans le dos de papa, ombre silencieuse.

– Qui t'en a parlé ? je m'exclame, sans la lâcher des yeux.

Elle choisit cet instant pour faire demi-tour, la soupière en main, et quitter la salle à manger. Si ce n'est pas un aveu, ça… Ce que je suis furieux contre elle, tout à coup ! Elle m'avait assuré qu'elle n'avait rien dit à mon père. Mais papa secoue la tête.

– Personne, voyons. La Maison enregistre toutes les allées et venues.

– Donc tu me surveilles ?

– Bien sûr.

Il a dit ça d'un ton calme, comme si c'était quelque chose de normal. Est-ce que ça ne l'est pas, d'ailleurs ? J'ai toujours su que rien n'échappait à la Ruche – et mon père n'est-il pas la reine des abeilles ? Je n'ignore pas non plus son aversion pour le monde extérieur. Et pourtant, l'agacement m'envahit… teinté, je dois bien l'avouer, d'un ravissement tout à fait incongru.

Il s'intéresse à ce que je fais !

La petite pensée s'immisce, glisse, s'impose dans mon cerveau. Sans même m'en rendre compte, je me suis penché vers mon père, prêt à tout lui raconter de mon escapade du week-end. Mais la lueur fugace qui brille au fond de ses yeux menace de disparaître, et je me ravise. Peut-être qu'en cet instant, il est moins absent qu'à son habitude ; et peut-être qu'à n'importe quel autre moment cela m'aurait suffi... Pas aujourd'hui. Il faut croire que certains sujets sont trop importants pour être partagés avec des gens qui n'écoutent pas vraiment.

Je réalise alors que je rumine une même question depuis quelque temps, et qu'il est grand temps de la laisser sortir :

– Pourquoi est-ce que tu as si peur de l'extérieur ?

Mon père incline la tête, surpris.

– Je te demande pardon ?

– Tu ne sors jamais de cette Maison, je reprends. Maman m'a dit que, lorsque tu avais mon âge, tu t'asseyais sur le trottoir, devant le portail, et que tu observais la rue. Comme si tu étais à la fois curieux et effrayé d'aller plus loin... Pourquoi ?

Il semble désarçonné.

– Ce n'est pas de la peur, voyons, se défend-il. J'ai bien assez de travail ici, je pensais que tu en étais conscient.

Il se referme déjà – je le vois au pli de son front qui se creuse. Si je le laisse faire, il s'enfoncera dans ses pensées, comme chaque soir, et il deviendra alors inaccessible. Je me dépêche donc d'ajouter :

– Si tu veux tout savoir, je suis sorti pour travailler sur le décor que tu m'as confié. Mais ne t'en fais pas, cela ne se reproduira plus. J'ai vu tout ce qu'il y avait à voir.

– Tant mieux, répond mon père. J'ai hâte de découvrir ce que tu me prépares, Daniel.

Il est sincère, bien sûr, tellement sincère qu'un sourire étire ses lèvres – le premier depuis combien de temps, déjà ? Mais il est pour mon décor plutôt que pour moi...

22

« Seul ? Je ne comprends pas. Pourquoi devrais-je me sentir seul ? Je vis aux côtés de ceux qui me sont chers, j'exerce un métier qui me permet de rencontrer des centaines de gens – et quand je parle de rencontres, il ne s'agit pas de quelques mots échangés autour d'un café. Je parle d'une plongée dans leur intimité profonde, dans leurs émotions, leurs sentiments, bref, au cœur de ce qu'ils chérissent le plus... »

(Extrait de l'article de Daphné Maris, paru dans le magazine *Regards Modernes*.)

Deux semaines se sont écoulées depuis ma sortie, et j'ai la drôle d'impression que ma vie s'est scindée en deux. D'un côté, il y a ce qui se passe à l'extérieur de moi – mes cours, parfaitement rythmés et parfaitement monotones, les discussions polies avec les visiteurs de la Maison, les dîners silencieux, le froissement léger des pages qui se tournent lorsque ma mère lit à mon chevet.

Et de l'autre, il y a ce qui se passe à l'intérieur de moi. Un tourbillon coloré et bruyant, où les doutes et les frissons s'entremêlent, où l'exaltation et l'ennui dessinent un horizon sans cesse changeant. Parfois, l'écart entre ces deux mondes est si grand que je crois suffoquer.

– Vous n'avez pas l'air en forme, Daniel.

La voix de Mme Elia me tire de mes pensées.

Il est 10 heures du matin, l'heure à laquelle ma gouvernante m'accorde habituellement une pause. Au lieu de mettre ces quinze précieuses minutes à profit pour travailler sur une nouvelle modélisation, comme je le fais toujours, j'ai marché jusqu'à la fenêtre, je l'ai ouverte en grand et je m'y suis accoudé. Un filet d'air frais traverse la salle de classe. Dehors, le parc secoue paresseusement sa parure d'émeraude, on dirait qu'il se réveille d'un long sommeil. Des silhouettes se promènent dans les allées, plus nombreuses qu'à l'accoutumée. Les averses des derniers jours semblent loin, et c'est un soleil neuf qui baigne ce tableau printanier. Je réfléchis un instant, choisissant mes mots, hésitant sur ce que je suis prêt à dire :

– Je suis un peu fatigué, je crois. J'ai du mal à dormir.

– Et du mal à manger.

Je me retourne.

– Parce que vous surveillez mes assiettes ?

– La cuisinière qui sommeille en moi se vexe toujours lorsqu'elles me reviennent pleines, réplique-t-elle avec un sourire en coin.

C'est moi ou elle essaie de plaisanter ? Mme Elia a raison, cependant – la faim est une sensation mineure, qui peut s'effacer derrière les autres.

– Cette fille, dit-elle. Y avez-vous repensé ?

Elle parle de Violette, évidemment. Mais le sens de sa question est plus difficile à saisir. Bien sûr que j'y pense ! Comme je hoche la tête, Mme Elia continue :

– Pourquoi n'essayez-vous pas de la revoir ?

– Elle vit parmi des forains. Ils sont restés en ville quelques jours à peine et maintenant, ils sont loin d'ici. Alors même si je le voulais, je ne *pourrais* pas la revoir.

Le front de Mme Elia se plisse. Elle n'a pas l'air de comprendre.

– Et elle ne m'a donné ni numéro de téléphone ni adresse mail, si c'est ce que vous voulez savoir, j'ajoute.

Elle ne peut pas manquer de percevoir la pointe de déception dans ma voix.

Mon regard se laisse à nouveau aspirer par le carré de ciel bleu et de verdure qui s'étend de l'autre côté de la fenêtre. Un homme en costume gris passe le portail, remontant l'allée principale d'un bon pas. Je m'attache un moment à sa silhouette, puis je le montre du doigt à ma gouvernante.

– Vous le reconnaissez ?

Mme Elia se dirige vers la fenêtre et regarde dans la direction indiquée.

– Je n'ai pas votre mémoire, Daniel.

– M. Friedmann. À chaque saison, il vient rendre visite à sa femme Hélène. Printemps, été, automne, hiver. Depuis plus de vingt ans. Je crois qu'il n'a jamais manqué un rendez-vous. C'est un joli rituel, non ? Et il traverse tout le pays pour elle – il habite à quelques centaines de kilomètres d'ici, près de la frontière.

– Oh, ça me dit quelque chose, maintenant, murmure Mme Elia d'un ton distrait. Il vient d'Ordener, n'est-ce pas ?

Lentement, comme si ma nuque était de verre, je tourne la tête vers elle.

– Ordener, je répète.

Ce nom me dit quelque chose. Je me concentre un instant... Le prospectus de la fête foraine me revient à l'esprit. C'est le cinquième nom sur la liste des villes où elle devait se rendre ! Un sentiment indéfinissable m'envahit. Cette découverte m'emplit d'une telle excitation que je ne peux pas m'empêcher d'en parler à Mme Elia. Ma gouvernante esquisse un sourire.

– Eh bien voilà ! dit-elle. Grâce à cette étonnante coïncidence, vous pouvez maintenant reprendre contact avec votre amie.

Je ne vois vraiment pas ce qu'elle veut dire. Je me retrouve avec un homme originaire d'Ordener sous la main, mais que suis-je censé en faire ? Mme Elia secoue la tête d'un air agacé :

– C'est pourtant simple.

Où veut-elle en venir ? Mystère. Elle soupire bruyamment, à présent, pour bien me faire comprendre que je suis un crétin. Je crains un instant qu'elle n'en profite pour me donner une leçon façon Elia.

– Ce sera l'occasion de se livrer à un nouvel exercice, ajoute-t-elle.

Qu'est-ce que je disais ?

Ma gouvernante regagne son bureau et fouille un moment dans ses tiroirs, avant d'en sortir quelque chose qu'elle dépose sur ma table de travail. Je m'approche, intrigué. Plusieurs feuilles blanches et un stylo.

– Nous allons bousculer notre programme pour l'occasion, continue-t-elle. Que diriez-vous d'un peu de stylistique, Daniel ?

– Hein ?

– Formidable ! Je savais que vous aimeriez l'idée. L'exercice du jour portera donc sur la correspondance épistolaire. Vous avez une heure pour écrire une lettre à votre amie, ajoute-t-elle. Lettre que vous pourrez ensuite confier aux bons soins de M. Friedmann. Je suis certaine qu'il sera très heureux de vous aider.

Je reste un instant bouche bée – une lettre ? Je n'ai jamais écrit à qui que ce soit. Existe-t-il des gens qui communiquent encore de cette manière, d'ailleurs ? Mais le regard sévère de Mme Elia me rattrape. Je me glisse à ma table sans broncher, j'attrape le stylo. Puis je ne bouge plus.

– Je ne sais pas comment m'y prendre, dis-je enfin.

– Fermez les yeux, me répond-elle. Laissez les mots affluer dans votre esprit… Ensuite, il ne vous restera plus qu'à choisir les bons.

Je lui obéis.

Quelques secondes plus tard, la pointe de mon stylo se pose sur la feuille blanche, traçant une première ligne.

Maison Edelweiss, le 30 mars

Chère Violette,

Ça me fait très bizarre d'écrire ça ! Ou peut-être que ça me fait bizarre d'écrire tout court, en fait… C'est la première fois que je m'attelle à la rédaction d'une lettre. Je suppose que, de ton côté, c'est de la recevoir qui doit être étonnant (d'ailleurs, j'espère que tu ne vas pas me prendre pour un psychopathe prêt à tout pour te retrouver !). Bon, je m'excuse par avance : je ne suis pas certain de m'y prendre de la bonne manière. Je laisse le fil de mes pensées se dérouler, c'est sans doute confus... Mais confus est un adjectif qui me va plutôt bien, ces derniers temps. Par où commencer ?

Allez, j'attaque avec un aveu.

Lorsqu'on s'est rencontrés, je t'ai dit que je vivais dans une Maison de départ. Ce que je n'ai pas précisé, c'est que c'était pour ainsi dire la première fois que j'en sortais. Je n'ose même pas imaginer combien ça doit te sembler étrange, à toi qui ne cesses d'aller et venir à travers le pays ! Quand j'y pense, moi aussi, je me demande si c'est bien normal... En même temps, la Maison est un monde en soi. J'y ai tout ce dont j'ai besoin : je suis des cours à domicile depuis toujours, et mes amis sont là, à mes côtés. C'est tellement facile dans ces conditions d'oublier l'extérieur.

Je ne sais même pas pourquoi j'ai voulu sortir, ce jour-là. C'était une sorte de défi, je crois, que je me lançais. Quitter la Maison, m'aventurer seul en ville... J'ai eu l'impression de mettre les pieds dans un nouveau monde, et le mien me paraît maintenant un peu plus petit qu'avant. T'écrire, c'est comme créer un pont entre les deux.

Encore une fois, je sais que ça doit avoir l'air bizarre, mais tu voudrais bien m'en dire plus ? Sur les forains, sur les routes que tu parcours, les endroits où tu t'arrêtes avec ta famille... Enfin, sur tout ce que tu voudras. Oh, et à quoi ressemble le paysage, aujourd'hui, du haut de la grande roue ?

Daniel

23

Convaincre le visiteur d'Ordener de me servir de messager a été la partie la plus facile de mon plan. Il m'a suffi de lui parler de Violette pour qu'un petit air attendri se dessine sur ses traits et qu'il accepte. Je ne sais pas ce qu'il s'est imaginé, mais je n'ai pas démenti pour ne pas risquer de le voir changer d'avis. J'ai glissé la lettre dans l'enveloppe, avec le dessin de la grande roue, celui grâce auquel Violette m'avait remarqué, puis j'ai confié le tout à M. Friedmann. Ensuite, je l'ai raccompagné jusqu'au portail de la Maison, l'observant tandis qu'il descendait lentement la rue.

Puis j'ai découvert l'un des inconvénients de la correspondance écrite : bon sang, mais comment font les gens qui attendent une réponse ? Quelques minutes à peine après le départ du vieil homme, l'angoisse et l'impatience s'infiltraient déjà en moi. Et moi aussi, je me suis mis à tourner. En rond, en boucle, comme une bête en cage. Les cours de l'après-midi ont été un calvaire ; le dîner, un supplice. Je m'en suis échappé aussi vite que j'ai pu, puis j'ai filé jusqu'à ma chambre, épuisé par le poids de cette attente. Car, lorsqu'une journée est trop longue, il ne reste qu'une chose à faire : y mettre soi-même un terme.

Je me roule en boule dans mon lit, goûtant la fraîcheur des draps. Un répit momentané soulage mon esprit, je ferme les yeux. Mais cela ne dure pas : je ne peux pas m'empêcher de repenser à la lettre. Pourquoi est-ce que Mme Elia m'a donné cette idée stupide, sérieusement ? Et si elle n'arrivait jamais à destination ? Si Violette ne prenait même pas la peine de la lire ? Si elle me trouvait cinglé ou, pire, ridicule ? Cette dernière pensée est la plus douloureuse. Pendant un instant, je suis sur le point de me relever pour aller en discuter avec Mona et Matthias. Mais la voix de ma mère brise le silence.

– Tu as l'air préoccupé, chéri.

Je relève la tête. Elle a abandonné son livre – encore son vieux truc mythologique – et m'observe, son beau visage brouillé par l'inquiétude.

– Hmmmm.

– Tu peux m'en parler, tu sais. Je suis là pour ça.

J'hésite, laissant un instant mon regard suivre les ombres mouvantes sur les murs. Maman n'a pas bougé. Elle attend que je me confie. Mais que pourrais-je bien lui dire ? Je ne suis même pas capable de décrypter mes propres pensées.

– Parle-moi de ta rencontre avec papa, je lâche enfin.

Elle hausse légèrement les sourcils. Elle ne s'attendait pas à cela.

– Tu connais cette histoire, Dan.

– Oui, mais j'aime l'entendre… Comment était-ce ? Vous avez eu un coup de foudre ?

Son regard se voile, comme si elle se laissait emporter par une vague de souvenirs, et un sourire doux illumine ses traits.

– Un coup de foudre ? Non, dit-elle, c'était autre chose. Nous étions si jeunes lorsque nous nous sommes rencontrés… Je vivais de l'autre côté de la rue, je te l'ai déjà raconté. Un jour, j'ai vu Petro assis sur le bord du trottoir, devant le portail de la Maison. Ce n'était pas la première fois que je le voyais là : il n'aimait pas sortir, mais il avait l'habitude de se poser sur ce coin de bitume, et il observait la rue, les passants, les voitures… Ce jour-là, sans savoir exactement pourquoi, je me suis assise à côté de lui. Puis je suis revenue les jours suivants. J'avais quatorze ans, lui seize. Nous avons grandi ensemble, nous avons appris à nous connaître en même temps que nous nous découvrions. L'amour ne nous est pas tombé dessus, Daniel. Nous l'avons laissé venir, puis se développer.

– Comme une plante ?

– Comme une plante, confirme-t-elle. Solide et fragile à la fois.

Je bascule la tête en arrière, referme les paupières. L'impatience qui me mordillait le ventre s'est calmée, même si de nouvelles questions se pressent dans mon esprit. Qu'importe, après tout ! Qu'elles viennent.

– J'aime bien cette idée, je murmure.

– Moi aussi.

24

Perché à la cime du vieux cèdre, j'observe les traînées blanches des nuages se parer peu à peu de reflets mauves. Le soleil rasant nimbe les toits d'un éclat mouillé ; l'air est chargé de sève et de parfums. Non loin de moi, une volée d'oiseaux s'élève, s'éparpillant au-dessus des arbres du parc en pépiant bruyamment. Au fil des jours, la nuit recule, la morsure du vent se radoucit. Le printemps transforme la ville, animant cette étendue grise de milliers de reflets – de mon perchoir, elle ressemble à un océan.

Des éclats de voix me tirent de ma contemplation rêveuse. Des exclamations et des rires, qui montent de la rue, en contrebas. Je me laisse glisser sur une branche inférieure pour mieux voir.

Trois silhouettes familières marchent sur le trottoir. Il y a le grand Oscar, le petit Bertie qui peine toujours avec son sac à dos, et Ben le skateur, son casque autour du cou, qui tient sa planche sous le bras. Ils rient ensemble.

C'est tout.

Mais leur complicité fait naître un drôle de sentiment dans ma poitrine. C'est amer et doux à la fois... Et nouveau. Complètement nouveau. Les trois adolescents se chamaillent joyeusement, ils se bousculent du coude, s'interpellent, éclatent de rire de plus belle. Je les observe, gorge nouée. Pourquoi ai-je l'impression de ne pas être à ma place, tout à coup ? Qu'est-ce que je fais à observer le monde, caché au sommet d'un arbre, au lieu d'en faire partie ? Je me prends à m'imaginer assis sur le trottoir, comme mon père à mon âge. Est-ce que les garçons s'arrêteraient ? Est-ce qu'ils me parleraient ?

Enfin, je comprends. Ce mystérieux sentiment, qui m'a envahi sans prévenir..., ce n'est que de l'envie.

Pour la première fois de ma vie, je crois que je *voudrais* être comme un de ces trois-là. Je voudrais être un des leurs. Avoir quelqu'un avec qui m'amuser, quelqu'un qui me ressemble, avec qui je puisse tout partager. Quelqu'un qui ne soit pas un reflet. Bon sang, je déteste cette pensée ! Je me déteste aussi de ne pas parvenir à la réprimer. Qu'est-ce que ces garçons peuvent bien avoir de plus que Mona, que Matthias, que ma mère ?

Je suis né dans cette Maison, j'ai grandi avec les reflets, je sais tout d'eux et rien des autres.

Pourquoi voudrais-je que cela change ?

25

Le lendemain, une rumeur discrète se répand dans la Maison : Daphné Maris est de retour. J'ai entendu les filles chuchoter son nom, à l'accueil... avant de se taire brusquement en me voyant. Mais qu'est-ce qui se passe dans cette Maison ? On dirait qu'ils s'arrangent tous pour comploter dans mon dos. Et la journaliste, à quoi est-ce qu'elle joue, à revenir sans cesse ? À croire qu'elle cherche à devenir pensionnaire ici.

Soudain, je me rends compte que j'ai envie de lui parler. C'est idiot, je ne sais même pas exactement ce que je veux lui dire... Mais Daphné est la seule personne du monde extérieur qui me soit accessible. Elle n'est pas là pour rendre visite à un reflet, et elle n'a pas non plus l'habitude de la Maison Edelweiss. Peut-être que discuter avec elle pourrait m'aider à y voir plus clair... Car ces derniers temps, j'ai l'impression que la Maison rétrécit autour de moi – ou peut-être est-ce moi qui grandis, question de perspective.

Je décide de profiter de ma pause de midi pour me faufiler au-dehors. Avec un peu de chance, j'arriverai à intercepter Daphné avant qu'elle ne disparaisse… Mais Cali m'arrête alors que je traverse le hall d'entrée au pas de course.

– Daniel ! s'exclame-t-elle. Attendez ! Vous avez du courrier.

Je me fige.

Debout derrière le comptoir, elle me tend une enveloppe, simple rectangle de papier bleu. Comme je ne bouge pas, un petit sourire naît sur ses lèvres, et c'est elle qui vient finalement à moi. J'attrape la lettre. Déchire doucement l'enveloppe. Un parfum de fleurs blanches s'en échappe. J'en extrais une feuille. Ensuite, j'hésite un moment. Que vaut-il mieux : la lire maintenant ou la garder pour plus tard, lorsque je serai seul ? Mais j'ai déjà assez patienté. Oubliant totalement la journaliste, je fais demi-tour pour courir jusqu'à ma chambre.

– Maman ? Tu es là ?

Elle lève un regard étonné vers moi. Sans attendre, je m'assieds à même le sol, au pied de son fauteuil. Puis, enfin, je déplie la lettre de Violette pour la lire à haute voix.

Ordener, le 2 avril

Très cher Daniel Edelweiss,

Ton messager a frappé à absolument toutes les portes avant de trouver la bonne caravane. La mienne, donc. Il fallait le voir, guindé dans son costume de flanelle grise, qui me tendait son enveloppe avec tant de contentement qu'on aurait pu croire qu'il s'agissait d'une relique sacrée ! Pour être honnête, j'ai d'abord cru que c'était un fou. Puis j'ai ouvert l'enveloppe. Ton dessin a glissé entre mes doigts pour tomber à mes pieds, et je l'ai aussitôt reconnu.

Je te mentirais si je disais que ton aveu ne m'a pas surprise. Oui, c'est un peu bizarre de ne jamais sortir de chez soi… En même temps, ça explique l'air perdu que tu avais, au milieu des gens !

Mais du coup, tu as attisé ma curiosité. Si je te parle de moi, il faudra que tu me répondes en m'en disant plus sur cette fameuse Maison dans laquelle tu vis. Je pensais que les Maisons de départ étaient des endroits tristes et glauques – j'imagine que je me suis trompée, sinon personne n'aurait envie d'y rester, non ? Il faut aussi que je te dise que tu n'es pas tout à fait dans le vrai, toi non plus, quand tu penses que nous parcourons le monde. Les caravanes suivent les mêmes routes, année après année, et la plupart des villes se ressemblent. Il y a des jours où tout cela fait penser à une prison… Colorée et bruyante, mais prison quand même. Alors, si tu me fais voyager loin des manèges, je ne t'en voudrai pas !

Ce matin, je suis montée en haut de la grande roue pour répondre à ta question : le paysage n'est qu'une mer de brume, où affleurent parfois des toits ocre et des cimes d'arbres dégarnies. Ce sera mieux dans quelques jours, quand la mer se montrera à l'horizon.

À bientôt,

Violette

PS : Moi non plus, je n'avais jamais écrit de lettre avant celle-ci. C'est… étrange. Un peu grisant. J'aime bien.

26

Je lui ai immédiatement répondu.

Et une deuxième missive m'est ensuite parvenue, puis une troisième, une quatrième…

Les lettres de Violette accompagnent l'approche de l'été. Elles ont la saveur piquante du soleil, leurs reflets illuminent ma vie de couleurs nouvelles. Peu à peu, elles s'ancrent dans le quotidien de la Maison tout entière. Cali et Lucile n'hésitent pas à abandonner l'accueil pour courir me les porter à l'instant où elles arrivent ; ou à frapper à la porte de la salle de cours. Et Mme Elia ne bronche même pas ! Mona et Matthias sont au courant, eux aussi : c'est en leur compagnie que j'ai pris l'habitude de décacheter chaque enveloppe, sous le regard écarquillé d'Elliott – que j'ai également dû mettre dans la confidence puisqu'il s'est mis à pleurnicher lorsqu'il a découvert que je lui cachais quelque chose. Le soir venu, enfin, je relis la lettre en compagnie de ma mère, assis au pied de son fauteuil.

Seul mon père reste en dehors de cette agitation épistolaire. À moins qu'il n'utilise la Ruche pour écouter les conversations des habitants de la Maison, il n'a sûrement aucune idée de ce qui est en train de se passer. Il ne voit rien... Et pourtant, j'ai l'impression de changer. Par exemple, je me surprends de plus en plus souvent à délaisser mes écrans, juste pour *penser*.

Ça, c'est un peu inquiétant !

Les visiteurs de la Maison, qui n'étaient auparavant qu'un élément du décor à mes yeux, ont pris un relief inattendu. Je me suis glissé plusieurs fois derrière le comptoir d'accueil pour consulter leur dossier, pendant que Cali faisait semblant de ne rien remarquer. Je les classe par destination. Lorsque je ferme les yeux, c'est tout un réseau de messagers potentiels qui clignote derrière mes paupières.

Et puis je lui écris, bien sûr.

Chaque lettre est plus simple à terminer que la précédente. Les mots coulent de ma plume sans effort et je multiplie les croquis.

C'est drôle, je ne m'étais jamais rendu compte que dessiner pouvait être agréable. Je voyais ça comme quelque chose de complètement dépassé, un genre de préhistoire du 3D. Mais, crayon en main, je m'aperçois que mon regard se décale, que je fais davantage attention au geste qu'au résultat. J'ai pensé à en discuter avec mon père à plusieurs reprises – pas certain qu'il comprendrait, ceci dit. Alors je me concentre et je noircis des pages entières d'esquisses : le portail de la Maison, l'Arche fleurie dans le parc, grand-père Edelweiss qui pérore au milieu d'un groupe de visiteurs admiratifs, la silhouette de Mme Elia, bien droite à son bureau, ma mère absorbée dans sa lecture du soir, ses longs cheveux retombant sur la page qu'elle s'apprête à tourner…

Violette veut savoir à quoi ressemble ma vie ? Je plaque mes journées sur une page blanche. Et elles gagnent en profondeur.

Parfois, je m'essaie à l'autoportrait. Cela finit toujours à la poubelle. Ce n'est pas une question de ressemblance, non : le souci, c'est moi. Je ne me satisfais pas. Mes traits sont trop enfantins, mes cheveux indisciplinés. Je pourrais supprimer mes taches de rousseur, mais ce serait tricher. Si bien que je finis toujours par une rature furieuse, assortie de cette pensée : *Ah, si seulement j'étais un reflet !* Je pourrais m'améliorer en quelques minutes.

Puis je froisse la page avant de la jeter.

Deux jours plus tôt, une corbeille est mystérieusement apparue au pied de mon bureau. Je suppose que

Mme Elia en avait assez de voir rouler les boulettes de papier au sol.

Ramey, le 1er mai

Daniel,

J'aime vraiment, vraiment tes dessins ! Je les accroche au-dessus de mon lit et, chaque fois que je les regarde, j'ai l'impression que ton monde me devient un peu plus familier. Je suis sûre que je pourrais me balader dans le parc de la Maison Edelweiss les yeux fermés ! Ma sœur, elle, les apprécie moins. Je la surprends souvent à jeter des coups d'œil noirs dans leur direction. Mais ne t'en fais pas, cela n'a rien à voir avec toi. Tout est juste… difficile avec elle, en ce moment. Nous ne nous entendons plus très bien. Avant, les disputes ne duraient jamais longtemps : nous étions trop proches pour ça. Mais maintenant, nous nous éloignons, et je me dis parfois que l'écart entre nous ne pourra plus être comblé. Ce n'est pas une pensée agréable. Nous sommes jumelles, après tout : des miroirs aussi troubles que ceux du Palais des Glaces, *disait ma mère lorsque nous étions petites. Des faux doubles connectés par des liens que nous ne pourrons jamais briser, même si nous le souhaitons souvent.*

Tu sais, je suis consciente de ce que les gens se disent lorsqu'ils nous voient toutes les deux : comment peuvent-elles être aussi différentes et semblables à la fois ? Pour la première fois de ma vie, je commence à me poser la question aussi. Mais j'arrête là avec les lamentations !

Aujourd'hui, c'est un petit bois vert pâle qui s'étend au pied de la grande roue. Une rivière coule au milieu, ses eaux sont boueuses après les pluies de ces derniers jours, et on voit les toits gris d'une énorme zone commerciale au loin.

À bientôt,

Violette

27

Parfois, il y a de la tristesse sous les mots de Violette, elle glisse du papier et remonte le long de mes doigts, le long de mes bras, jusqu'à se faufiler en moi. C'est si étrange d'éprouver les sentiments d'une autre. Déstabilisant, aussi, car je ne sais pas comment répondre. Je prends mon stylo, je m'apprête à poser la question, franchement : *Que se passe-t-il ?* Puis, au dernier moment, j'abandonne, incapable d'aller plus loin. C'est un pressentiment qui me retient : il y a des choses que l'on ne peut pas dire. Peut-être parce qu'on les rendrait un peu plus ou un peu trop réelles. Alors, à la place, je dessine les toits brillants de la ville tels qu'ils m'apparaissent lorsque je me perche à la cime du vieux cèdre, avec la grosse face blême de la lune en arrière-plan. Je veux juste que Violette s'imagine à mes côtés, l'espace d'un instant. Elle serait assise là, à califourchon sur une branche rugueuse, le vent tiède de la nuit dans les cheveux.

J'ai tant relu sa dernière lettre que j'en ai rêvé. Je marchais dans un long couloir quand Violette m'est apparue, lumineuse de blondeur et de sourire. Mais elle n'était pas seule. Une ombre l'accompagnait. Une silhouette embuée, qui semblait aspirer des petits bouts de sa clarté. J'ai discerné les contours d'un visage, une bouche pincée, un regard ombrageux. Et aussi triste, infiniment triste.

Il a fallu que je me réveille pour comprendre qu'il s'agissait d'Esther. Est-ce donc ainsi que mon inconscient perçoit la jumelle de Violette ? C'est à cet instant que je mets le doigt sur un détail qui me turlupine depuis quelques jours déjà, sans que je parvienne à l'identifier : dans ses lettres, Violette n'écrit jamais le prénom de sa sœur. Est-ce que c'est censé signifier quelque chose ?

Deux mots remontent à la surface de mon esprit, fusant comme de petites bulles d'air.

Miroirs troubles.

Maison Edelweiss, le 4 mai

Violette,

Chez moi, c'est avec mon père que les choses sont compliquées. D'aussi loin que je me souvienne, il a toujours été un peu absent : du genre à se laisser emporter par son travail, tu vois ? Enchaînant les heures de boulot sur les reflets, oubliant parfois de manger ou de sortir de son atelier pendant plusieurs jours… Mais ces derniers temps, il devient franchement *bizarre. J'ai l'impression qu'il est encore plus distant – pas comme avant, cependant, d'une manière différente. Non, je ne suis pas assez précis : en fait, il n'est pas tant distant que distrait.*

Et ça, ça ne lui ressemble pas du tout !

Il y a quelque temps, je l'ai aidé sur un reflet qui lui donnait du fil à retordre. Au début, j'étais fier d'avoir pu lui apporter quelque chose, mais maintenant que j'y repense, je crois que c'était un signe avant-coureur… Car papa n'a jamais *besoin d'aide. Il est si doué, si précis dans tout ce qu'il fait que Mme Elia le qualifie souvent de machine. C'est comme s'il avait quelque chose d'autre en tête, en ce moment, qui l'empêche de se concentrer.*

Autre exemple de sa bizarrerie : ce soir, il est entré dans ma chambre sans frapper et il est resté planté devant le reflet de ma mère pendant près de cinq minutes. C'était tellement étrange ! Il était là, face à elle, il l'observait en silence... Puis il a fait demi-tour sans un mot d'explication, et il a refermé la porte derrière lui. Incompréhensible, non ?

À très bientôt,

Daniel

*

Quelque part sur la route, le 10 juin

Daniel,

Ces derniers jours, je repense souvent à mon enfance.

Quand j'étais petite, la caravane était un endroit terriblement excitant : j'adorais grimper dans l'étroite mezzanine où je dors avec ma sœur. Je me laissais tomber sur le matelas en imaginant que je me réfugiais à l'intérieur d'une grotte secrète, cachée du monde, et j'écoutais les bruits qui arrivaient de l'extérieur, tout assourdis. La nuit, les vibrations de la route me berçaient. De temps en temps, j'en profitais pour espionner mes parents : je restais parfaitement silencieuse pour qu'ils ne se doutent pas de ma présence, collée à la cloison de leur chambre, et j'essayais d'attraper au vol des bribes de conversations... La caravane était un endroit magique. Il y avait les tiroirs cachés, les meubles pliants, les villes qui allaient et venaient pendant la nuit, prenant un nouveau visage au matin. J'avais l'impression que ma vie se transformait tous les jours, tu vois ? Je ne sais pas quand les choses ont changé. Peut-être que, à force, le mouvement finit par nous donner la nausée. Et lorsque je regarde autour de moi, il n'y a plus qu'un mot qui me vient à l'esprit : étriqué.

La caravane est étriquée, *mon monde est* étriqué. *J'étouffe là-dedans, Dan, j'ai l'impression d'être enfermée, de me ratatiner dans cette prison... Heureusement que tu es là ! Je suis contente de t'avoir rencontré. C'est toi, le garçon enfermé dans sa Maison, qui m'ouvres sur le monde.*

Violette

28

J'examine encore et encore ma modélisation 3D, sous toutes les coutures, je la fais tourner inlassablement, jusqu'à être certain que je l'ai vraiment terminée. Puis je savoure le bonheur de me retrouver face à ma toute première création. Un paysage de fête foraine se déploie sous mes yeux. Caravanes blanches, tentes colorées, grappes de ballons chahutées par le vent au-dessus des stands. Tout est tel que je m'en souviens, à un détail près : j'ai gommé la rouille des manèges et les déchets qui salissaient les allées. Même la musique est au rendez-vous, criarde à souhait. En arrière-plan, la grande roue s'impose dans toute sa majesté, sa lente rotation masquant par instants le soleil. Je me concentre sur l'une des nacelles. Une tête blonde en dépasse, trop lointaine pour qu'on puisse l'identifier. Je doute que quiconque la remarque, d'ailleurs, mais sa simple présence suffit à me réjouir. Je suis certain que Violette appréciera l'hommage. Car je compte bien lui montrer un jour mon décor !

Je l'imagine déjà dans l'un des salons de la Maison. Sûr qu'il aura une tout autre allure que là, projeté sur les écrans trop petits de la salle de classe. Lorsque je me détache de mon œuvre, la nuit est tombée depuis longtemps. J'ai suivi l'exemple de mon père, ces derniers jours, mettant les bouchées doubles pour terminer.

Maintenant, il est temps de lui présenter mon travail.

J'éteins tout, rendant la salle à l'obscurité, et je descends jusqu'au sous-sol. Je ne doute pas de le trouver dans son atelier. Pourtant, aucune lumière ne filtre sous la porte. Je frappe une fois.

Puis deux.

De l'autre côté, rien ne bouge. Je recommence, un peu plus bruyamment, avant de coller mon oreille contre le battant métallique.

– Papa ?

Toujours rien. S'est-il endormi sur sa table de travail ? Ce ne serait pas la première fois. Mais mon instinct me souffle que non : il n'y a personne dans l'atelier. Je finis par faire demi-tour, jetant un œil au rez-de-chaussée. Les salons sont déserts. À l'étage, c'est la même chose. Je me faufile dans le couloir en veillant à ne pas faire grincer le parquet, remonte jusqu'à la chambre de mon père, à l'opposé de la mienne. C'est un peu mon angle mort dans la Maison : je peux compter sur les doigts d'une seule main les fois où j'y ai mis les pieds. Sauf que, ce soir, la porte est légèrement entrouverte. Je prends ça pour une invitation.

Je me glisse à l'intérieur, retenant mon souffle. Les rideaux ne sont pas tirés et la clarté de la lune baigne la pièce, la rendant encore plus étrangère à mes yeux. Le mobilier est spartiate : un lit, une table de chevet, une armoire. Dans un coin se découpe une porte menant à la salle de bains. Sur le mur, il n'y a qu'une seule photo encadrée, un portrait de moi lorsque j'étais enfant. La chambre est impersonnelle. On pourrait même la croire inhabitée, sans les vêtements qui reposent sur le lit. Je m'approche. Il y a là quelques chemises blanches et une veste. Comme si mon père avait hésité avant de s'habiller. Bizarre… Il n'a pas l'habitude de se préoccuper de ce genre de choses. Puis je remarque l'odeur étrange qui flotte dans l'air. Mes narines palpitent. Je rêve ou quoi ? Je me précipite dans la salle de bains, osant enfin allumer la lumière. Un flacon de parfum dont j'ignorais l'existence est posé sur le rebord du lavabo.

Mon père n'est pas ici. Il a mis de côté sa répugnance pour l'extérieur et il est sorti, bien habillé et parfumé !

29

Au cours de mon enquête, une rumeur me revient de manière récurrente : celle de cet homme d'affaires richissime qui, ayant perdu sa fille dans un accident, a voulu bâtir chez lui un salon inspiré de ceux de la Maison Edelweiss. Il aurait ainsi pu y accueillir le reflet de sa fille, à domicile. Lorsque j'aborde le sujet auprès du personnel de la Maison, on botte d'abord en touche au nom du droit à la confidentialité des visiteurs. Une hôtesse d'accueil finit cependant par m'expliquer qu'une telle requête serait contraire à la philosophie de la Maison : « Les reflets doivent aider à accepter la mort d'un proche, pas à oublier le décès. C'est aussi pour cela que nous refusons strictement de faire vieillir un reflet. Ce serait une vraie dérive. »

(Extrait de l'article de Daphné Maris, paru dans le magazine *Regards Modernes*.)

Le lendemain matin, j'ouvre les yeux avec l'impression d'avoir dormi quelques minutes à peine. J'ai eu beaucoup du mal à trouver le sommeil, hier soir. Trop de questions, d'hypothèses qui s'entrechoquaient sous mon crâne… Je m'étire, jetant au passage un œil à mon bracelet connecté.

Six heures.

Je n'ai pas l'habitude de me lever aussi tôt, mais je sais déjà que je ne parviendrai pas à me rendormir. Je finis par quitter mon lit, descendant en pyjama les escaliers. À cette heure-ci, la Maison est encore assoupie, et le contact de mes pieds nus sur le sol me semble terriblement bruyant. Je pousse la porte du premier salon venu, sélectionne un décor au hasard – une bibliothèque que ne renierait pas Mme Elia, débordante de livres et éclairée par un grand chandelier doré –, puis j'appelle Mona et Matthias.

– Tu es tombé du lit ou quoi ? lâche ce dernier en surgissant devant moi.

Je ne prends pas la peine de lui répondre, leur racontant aussitôt ma découverte de la veille : la disparition de mon père, les vêtements et le parfum dans sa chambre… Mais mes amis ne semblent pas particulièrement intéressés par cette nouvelle.

– Oh, vraiment ? fait juste Mona.

Elle a essayé de paraître curieuse, sauf que ce n'est pas très réussi. Son attitude me met la puce à l'oreille.

– Vous étiez au courant ?

Tous deux restent de marbre, et je me maudis soudain de ma naïveté. Bien sûr qu'ils sont au courant ! La Ruche n'ignore rien de ce qui se passe dans la Maison.

– Sérieusement, je m'exclame, vous comptiez me cacher ça ? Il est allé où ? Et qu'est-ce qu'il faisait ? Il sortait avec quelqu'un, c'est ça ?

Mais ils ne répondent pas. Pire, ils m'ignorent, comme s'ils ne m'entendaient plus. Je les harcèle un moment, allant jusqu'à m'énerver de leur réaction, puis Matthias déclare :

– Nous ferions mieux de changer de sujet, Dan.

Son ton est ferme, définitif. Je finis par comprendre qu'ils ne lâcheront rien.

– OK, dis-je alors. On se reverra quand vous aurez retrouvé votre langue. Extinction !

Le décor s'efface, Matthias et Mona disparaissent. Je reste un instant seul dans la pièce immaculée. Cette discussion m'aura au moins renseigné sur un point : il se passe bel et bien quelque chose dans cette Maison !

Après un détour par la cuisine, où je m'arrête pour engloutir un copieux petit déjeuner, je file m'habiller. Je prends ensuite la direction de la salle de classe. Pour la première fois depuis longtemps, je peux le dire : j'ai hâte d'être en cours !

Mme Elia et moi avons chacun notre forme de ponctualité. Elle arrive toujours avec un peu d'avance et moi, beaucoup de retard. Aussi ne dissimule-t-elle pas son étonnement lorsque, entrant dans la salle à huit heures cinquante, elle me voit sagement installé à mon bureau. Je m'attendais à ce qu'elle me fasse une remarque, mais non. À la place, elle attrape un bâton de craie et commence à inscrire une série de chiffres au tableau. Je suis à peine surpris de sa réaction, au fond : ma gouvernante possède un détecteur à embrouilles réglé sur la fréquence Daniel. Elle doit être au courant de la virée nocturne de mon père... Et là, elle vient de comprendre que je le suis aussi. Comme si elle se doutait que je compte profiter du premier temps mort pour l'assaillir de questions, elle a décidé d'esquiver en m'assommant de problèmes mathématiques particulièrement pénibles à résoudre. Me voilà forcé de patienter jusqu'à l'heure du déjeuner, ruminant soupçons et interrogations pendant trois longues heures.

Autant dire que, lorsque mon père entre dans la salle à manger, je suis fin prêt. Il n'a même pas le temps de s'installer à sa place habituelle que je passe à l'attaque :

– Dis, papa, où es-tu allé, hier soir ?

Je le vois lever la tête, froncer un sourcil. Il a l'air un peu chiffonné. Sentant que je suis sur la bonne voie, j'en profite pour en rajouter une couche :

– Parce que tu n'étais pas dans la Maison.

– Je te demande pardon ?

– J'ai frappé à ton atelier, j'ai aussi jeté un œil dans ta chambre. Il n'y avait personne.

– Mais qu'est-ce que tu me racontes, Dan ? s'exclame-t-il. Bien sûr que j'étais là. Je me suis assoupi en bas, sur mon bureau. Frappe un peu plus fort la prochaine fois, au lieu de te monter la tête.

Sa voix a pris une tonalité que je ne lui connaissais pas. Il me regarde droit dans les yeux, ses joues sont un peu rouges, bon sang, jamais il ne m'a semblé aussi présent. Alors il suffit de le titiller un peu ? Je retiens un sourire, puis je me tourne vers Mme Elia :

– Vous êtes d'accord ? J'aurais dû frapper plus fort ?

– Votre père a toujours eu le sommeil lourd, réplique-t-elle sans se démonter.

C'est confirmé, elle est dans la confidence. Sentant que je ne tirerai rien de plus d'eux, je fais semblant de capituler avec un haussement d'épaules avant de me pencher sur mon assiette.

La suite du repas se déroule en silence. Mon père me mitraille de petits coups d'œil qu'il pense discrets.

De mon côté, je balance entre amusement et incompréhension. À quoi bon ces mystères ? Il a rencontré quelqu'un ? Comme si j'allais lui en vouloir pour ça ! Je ne vais pas non plus me plaindre de ne pas être au centre de son attention, ça fait longtemps que j'ai appris à vivre sans... Voilà qu'il échange un regard avec Mme Elia. Le plus énervant dans cette histoire, je crois, c'est de la voir entrer dans le jeu de mon père.

Nous entamons le dessert lorsqu'il reprend la parole :

– Pourquoi es-tu venu me voir hier soir, d'ailleurs ?

– Oh, je voulais simplement te montrer mon décor. Je l'ai terminé.

Il s'immobilise, sa fourchette à mi-hauteur.

– Pourquoi ne me l'as-tu pas dit plus tôt ? s'exclame-t-il.

– J'ai bien essayé, mais tu as le *sommeil lourd.*

Je savoure sa perplexité. Il insiste :

– Il faut que tu me montres ça, Daniel.

– Bien sûr, mais pas maintenant. Mme Elia m'apprend plein de choses passionnantes en ce moment, je m'en voudrais de manquer son cours de l'après-midi. Ce soir, peut-être ? Enfin... si tu es là.

Il finit par acquiescer, l'air perdu. J'en profite pour engloutir la dernière bouchée de mon dessert, puis je me lève. Papa et Mme Elia me laissent sortir de table sans un mot. J'imagine qu'ils ont de quoi discuter un moment.

Ce qui m'arrange, je n'en serai que plus tranquille pendant la phase deux de mon plan.

Je me faufile jusqu'au rez-de-chaussée, gagnant l'accueil sans croiser âme qui vive. Cali est seule derrière le comptoir. Elle observe distraitement l'écran qui lui fait face – plusieurs fenêtres de contrôle s'y affichent, lui permettant de suivre l'activité des différents salons de réception. Trois seulement sont occupés.

– Il n'y a pas foule.

– Tant mieux, réplique-t-elle. C'est notre seul moment de répit de la journée. Mais ne vous en faites pas, Daniel, cela ne va pas tarder à s'animer. J'ai déjà une quinzaine de réservations pour cet après-midi.

Je hausse un sourcil intéressé.

– Quinze visiteurs ? Il doit bien y avoir un messager potentiel dans le lot ! Je peux jeter un œil au planning ?

Un sourire entendu étire les lèvres de la jeune femme.

– À votre guise, Casanova.

Elle pousse une porte quasi invisible, disparaissant un instant dans le vestiaire situé à l'arrière du comptoir. Je m'installe à sa place. Mes doigts glissent sur la surface translucide de la table, les fenêtres de contrôle s'effacent, remplacées par un agenda virtuel. Je sélectionne un nom dans la colonne de gauche. *Petro Edelweiss*. Contrairement à ce que je viens de prétendre, les visiteurs du jour ne m'intéressent pas. Les rendez-vous récents de mon père apparaissent à l'écran. Je les parcours rapidement, et une sensation de victoire m'envahit.

Rendez-vous DM.

Rendez-vous DM.

Dîner DM.

Rendez-vous DM.

Puis je réalise. Ma mâchoire se décroche. Je ne connais qu'une seule personne ayant ces initiales. Daphné Maris. Sérieusement ? Je me donnerais des baffes, tant je me sens bête de ne pas y avoir pensé plus tôt. Mais je n'ai pas le temps d'en apprendre davantage, car une exclamation m'interrompt tout à coup :

– Daniel ? Qu'est-ce que vous faites ?!

Cali a surgi dans mon dos. Son ton me surprend. C'est un mélange de colère… et d'embarras. Je tourne la tête vers elle, tente de me justifier.

– C'est bon, je regardais juste…

Mais elle se jette sur le comptoir, reprenant le contrôle de l'écran comme si elle craignait que je ne provoque une catastrophe. Je me laisse bousculer, estomaqué par la violence de sa réaction. L'agenda disparaît.

Une seconde s'écoule. Une deuxième. Mon cerveau se met en branle. Qu'a-t-elle voulu me cacher ? Car c'est bien ce qui vient de se passer, j'en suis certain. Les joues de Cali sont rouges, elle tente maintenant de reprendre contenance. Seulement, il est trop tard. Il faut bien qu'il y ait un avantage à posséder une mémoire photographique. Je ferme les yeux pour me concentrer, et l'écran se matérialise dans un coin de mon esprit. Certaines cases de l'agenda sont floues, je n'ai pas eu le temps de tout lire. Mais l'une d'entre elles attire mon attention. Elle semble palpiter, comme si mon inconscient l'avait notée tout à l'heure. *Cérémonie de la Dernière Nuit, 18 h 00,* dit la légende. Et juste en dessous, il y a un nom.

J'ouvre les yeux, sous le choc. Ma gorge s'est serrée, mon estomac recroquevillé, mes ongles entament mes paumes.

– Mona ? je murmure.

L'expression de Cali suffit à confirmer mes craintes.

30

Je tambourine à la porte de l'atelier. Le sang bat à mes tempes, cadençant chacun de mes coups comme un tambour de guerre. Jamais je ne me suis senti aussi fébrile, partagé entre la colère et une angoisse sourde, douloureuse, que j'essaie de noyer en criant plus fort :

– Papa ! Ouvre-moi !

La porte se dérobe soudain, manquant de me faire basculer en avant. Mon père se tient face à moi.

– Qu'est-ce que c'est que ce cirque ?! s'exclame-t-il, visiblement stupéfait.

Dans son dos, une ébauche de reflet tournoie lentement au milieu du cylindre de projection. Je cherche mes mots. Je n'en trouve qu'un :

– Mona.

Son expression passe de la contrariété à l'ennui. Il plisse les yeux, glisse une main dans ses cheveux, soupire.

– Qui t'a mis au courant ? Tu n'étais pas censé...

– *Qui m'a mis au courant ?* je m'exclame. C'est la première chose qui te vient à l'esprit ? Mon amie s'apprête à être détruite et je le découvre dans ton putain d'agenda ! Tu comptais me le cacher jusqu'au bout, papa ? Sérieusement, qu'est-ce que tu m'aurais raconté quand je me serais rendu compte de son absence ? Qu'elle était partie en vacances ? Qu'elle avait le sommeil lourd, elle aussi ?

Ma voix en tremble. Je sens que je perds le contrôle, un voile de rage trouble ma vision.

– Je suis désolé, Dan, répond mon père. Je savais que cela te causerait beaucoup de peine... Cependant, c'est la volonté de la famille de Mona. Nous n'avons pas notre mot à dire là-dessus.

– Mais c'est mon amie ! Tu comprends, ça ? Ma meilleure amie, depuis toujours ! Je ne peux pas rester sans rien faire pendant que vous vous débarrassez tranquillement d'elle !

Il pousse un nouveau soupir. Ce que j'y perçois me refroidit aussitôt – car c'est de la déception.

– Voilà pourquoi j'avais décidé de te tenir à l'écart, déclare-t-il. Regarde-toi un instant, Daniel. Regarde-toi et écoute-toi… S'il y a bien une chose que la Maison Edelweiss ne peut se permettre, c'est un esclandre de ce type.

Il me fixe comme si j'étais un enfant à qui l'on fait la leçon. Je siffle entre mes dents serrées :

– Peut-être qu'il n'y aurait pas d'*esclandre de ce type* si tu ne mentais pas continuellement.

– Tu as cours cet après-midi, je crois, réplique-t-il. Profites-en pour réfléchir à tout cela. Nous ne régnons pas sur un royaume de reflets dont nous pourrions disposer à notre guise.

– Mais je l'aime !

J'ai crié.

Le visage de mon père se décompose brusquement.

– C'est un reflet, murmure-t-il, horrifié.

Puis, sans me laisser le temps de répondre, il referme la porte de l'atelier. J'aplatis mon poing contre le battant métallique.

– Attends ! Papa !

Je sais qu'il ne rouvrira pas. Qu'ai-je dit, bon sang ? Je me sens sans forces, tout à coup. Mes yeux se mettent à piquer. Je reste un instant figé, comme aspiré hors du temps. Puis je fais demi-tour. Les escaliers sont infinis, le couloir aussi, et ma peine plus encore. Une voix m'interpelle lorsque je dépasse la salle de classe :

– Daniel ! Où allez-vous ?

Je me contente de tourner la tête vers Mme Elia. Elle me dévisage, garde le silence. Quelques secondes plus tard, je me réfugie dans ma chambre. La porte claque derrière moi, je m'y adosse et me laisse lentement glisser jusqu'au sol. Enfin, je m'autorise à lever les yeux.

Ma mère est là, évidemment. Mais elle n'est pas seule. Mona se tient à ses côtés, vêtue d'un jean et d'une blouse de dentelle blanche. Je bondis sur mes pieds, brusquement tiré de ma léthargie. Sa présence, ici… Je n'ai pas l'habitude de voir d'autres visages que celui de ma mère dans cette pièce. L'étage tout entier est une enclave à l'intérieur de la Maison – hormis ma mère, les reflets y sont interdits. Alors me retrouver face à Mona, dans ce décor familier… J'ai l'impression d'être coincé au cœur d'un mauvais rêve. Sans m'en rendre compte, je cligne trois fois des paupières. Maman et Mona s'effacent. Je réactive aussitôt mes lentilles.

Mona a un drôle de sourire en coin, à la fois triste et amusé.

– Il paraît qu'on t'a entendu hurler jusqu'au rez-de-chaussée, dit-elle.

– Je… Qu'est-ce que tu fais ici ?

– Grand-père Edelweiss m'a conseillé de venir te dire au revoir.

Grand-père Edelweiss ou mon père ? La poitrine oppressée, j'avance dans sa direction, jusqu'à ce qu'il n'y ait plus que trente centimètres entre nous. Puis je l'observe longuement. C'est la première fois, je crois, que je tente de trouver une faille. Un défaut de pixel, un grain de peau trop lisse, une mèche de cheveux statique… Mais j'ai beau chercher, je ne trouve rien. Mona est là, *réelle*. Elle recule soudain.

– Hé ! s'exclame-t-elle. Ça ne va pas ?

Je baisse les yeux pour découvrir ma main tendue dans le vide. Bon sang, j'ai essayé de la toucher… Ça aussi, c'est une première. Pas de contact avec les reflets : c'est l'une des règles de base de la Maison.

– Non, j'avoue enfin, ça ne va pas trop. Qu'est-ce qui se passe, Mona ? Pourquoi ne m'as-tu rien dit ? Ce matin encore, nous étions ensemble, tu aurais pu… Merde, je ne comprends rien ! Tout allait bien, et puis tout à coup… ça.

Ça.

C'est tout ce que j'ai trouvé pour évoquer la disparition programmée de mon amie. Mona pousse un soupir.

– Tout n'allait pas si bien que ça, tu sais. (Elle hésite un instant.) C'est dur à expliquer… Disons que, pendant des années, ma famille est venue chercher ici un réconfort qui lui était essentiel. Me voir suffisait à apaiser leur chagrin ; ils acceptaient que je ne sois plus auprès d'eux au quotidien, parce qu'ils savaient qu'ils n'avaient qu'à prendre la voiture pour me retrouver. Mais peu à peu, les choses ont changé. Ils n'étaient plus aussi heureux qu'avant lorsqu'ils passaient le portail de la Maison Edelweiss. Ils sont devenus de plus en plus silencieux. De temps en temps, je surprenais ma mère qui essuyait une larme.

– Mais pourquoi ? je m'exclame.

– Il paraît que le corps humain s'habitue à certains médicaments, répond Mona. Que vient un moment où ils ne font plus effet. Peut-être que c'est la même chose pour les reflets. Ma présence ne les réconforte plus, Dan. Elle leur rappelle juste que je suis morte.

– N'importe quoi. Tu n'as rien à voir avec un médicament. Et tu es là, tu me parles ! Comment tes parents pourraient-ils en avoir assez ? Comment peuvent-ils décider de se débarrasser de toi ?

Ma colère revient. Mona m'arrête d'une simple question :

– Tu te souviens de mon frère ? J'étais l'aînée, ajoute-t-elle, de deux ans. Sauf qu'il vient de fêter son trentième anniversaire. Et maintenant, j'ai l'air d'être la cadette... Je sais que tu comprends, car tu ressens exactement la même chose avec Elliott. Il ne grandit pas, toi oui. Tu t'éloignes.

– Tout se termine un jour, dit ma mère d'une voix douce. C'est ainsi, Dan.

Je m'écarte, reculant lentement jusqu'à la porte. Je suis si sûr de moi, tout à coup, si déterminé.

– Désolé, mais je ne suis pas d'accord. Tu n'es pas un jouet que l'on peut se permettre de jeter quand on en a assez, Mona. Tu es mon amie.

– Daniel... soupire ma mère. Ne fais pas ça.

Je n'ai pas le choix.

Je ne sais pas encore comment je vais m'y prendre pour faire capoter la Dernière Nuit de Mona, mais je trouverai. J'attrape la poignée de la porte, mes méninges tournant déjà à plein régime. Le battant ne s'ouvre pas. J'insiste, perplexe... avant de comprendre.

– Qui a fait ça ? je m'écrie, tout en faisant volte-face.

– Moi.

Mona et ma mère ont répondu ensemble, et leurs voix mêlées me blessent profondément – parce que de cette synchronisation naît une troisième voix, qui n'appartient ni à l'une ni à l'autre. C'est celle de la Ruche, multiple et désincarnée. Je lève les yeux, cherchant le capteur incrusté dans les moulures du plafond.

– Tu n'as pas le droit de m'enfermer dans ma propre chambre !

– Et tu n'as pas le droit d'aller à l'encontre de la décision d'un visiteur, ajoute l'IA. Telle est la règle de la Maison Edelweiss. Je suis navré, Daniel. Tu ne pourras sortir de ta chambre qu'après la cérémonie de la Dernière Nuit.

Mon regard redescend et se rive à celui de ma mère, s'y enfonce, s'y perd, cherchant l'entité cachée derrière le bleu doux de ses iris.

– Dès que je serai sorti, je descendrai jusqu'à la salle des serveurs, dis-je d'une voix sourde. Je ferai griller tes appareils un à un, je...

– Euh... tu ressembles à un psychopathe, là, me coupe Mona.

J'ouvre la bouche pour répondre, quand je la vois se figer, inclinant la tête comme si elle percevait un bruit lointain.

– Ma famille est arrivée, reprend-elle. Ils n'attendent plus que moi... Au revoir, Dan. Et prends soin de toi, d'accord ?

Mon amie m'offre un dernier sourire, le plus lumineux de tous. Puis elle se détourne, marchant vers la porte virtuelle qui se découpe au fond de la chambre. Je n'ai même pas le temps de réagir, de lui répondre.

Elle n'est plus là.

Une dernière bouffée de colère me submerge. Je balance un grand coup de pied dans le fauteuil de ma mère – ma jambe le traverse et je manque de perdre l'équilibre, alors je me retourne pour frapper de toutes mes forces le cadre de mon lit. Mes orteils s'écrasent contre le bois, la douleur fuse, mon souffle se bloque. Et le chagrin vient enfin, emportant tout sur son passage. Je m'écroule sous le regard triste de ma mère.

31

Ma mère est restée à mes côtés jusqu'au bout. Il me semble l'avoir entendue chantonner par moments – peut-être était-ce cette vieille berceuse qu'elle fredonnait pour m'aider à m'endormir, lorsque j'étais enfant. Mais la chape d'hébétude qui m'enveloppe filtre aussi les bruits.

Quelques minutes plus tôt, la porte s'est déverrouillée. Je la fixe longuement. Je devrais me lever, sortir d'ici. Le dernier sourire de Mona tourne en boucle dans mon esprit.

Je n'ai même pas pensé à lui dire au revoir, moi.

Je finis par bouger, gagnant le rebord de la fenêtre. Mes jambes, ankylosées, réclament un instant d'adaptation. Ma gorge est sèche, mes yeux aussi. Dehors, le ciel est sombre. On a allumé les lampadaires, et l'allée principale du parc se dessine en pointillés bleutés. Des silhouettes s'y découpent, qui se dirigent vers le portail. La famille de Mona quitte la Maison Edelweiss. Je plisse les yeux, déglutis avec effort. Je me décide enfin à quitter ma chambre. Les couloirs de la Maison sont déserts. Cali et Lucile ne sont nulle part en vue ; quant à mon père, il est sans doute en train de raccompagner des visiteurs. Je traverse le hall d'entrée. Les portes vitrées coulissent devant moi. Un courant d'air frais m'enveloppe lorsque je mets les pieds dehors. Puis je remarque un point rougeoyant, à deux mètres à peine. Quelqu'un est assis sur le perron de la Maison. Je m'approche un peu.

– Je ne savais pas que vous fumiez.

– Cela ne m'arrive pas souvent, répond Mme Elia.

Une volute de fumée blanche s'élève dans la nuit. Sa voix est bizarre, triste peut-être.

– Seulement dans les mauvais moments ?

– C'est à peu près cela.

– Mais vous ne connaissiez pas Mona...

Ce n'est pas une accusation. Je me sens juste décontenancé, je crois. Ma gouvernante doit l'avoir perçu, car elle ne s'en offusque pas.

– Vous n'avez jamais assisté à de véritables funérailles, Daniel. La moitié des gens y pleurent le disparu, tandis que les autres pleurent la douleur des premiers. Venez, ajoute-t-elle comme je reste silencieux. Asseyez-vous.

J'obéis sans trop savoir pourquoi. Mme Elia n'est pas exactement la personne avec qui j'ai envie de parler, mais… je n'ai personne d'autre.

– Comment vous sentez-vous ? reprend-elle.

– Je ne sais pas. J'étais si furieux tout à l'heure… Maintenant, je… j'ai l'impression d'être vide.

– Oui, acquiesce-t-elle. Le chagrin consume, et rien ne brûle sans combustible. Il emporte quelque chose de vous.

Je réfléchis un instant à ses paroles, avant de reprendre :

– En fait, je ne comprends pas. Les proches de Mona pouvaient l'avoir avec eux pour toujours, et pourtant… Comment peut-on faire ça, madame Elia ? Quels parents accepteraient de laisser mourir leur enfant ?

– Partir, rectifie ma gouvernante.

– Pardon ?

– Partir, pas mourir.

Mes sourcils se froncent.

– Vous n'arrêtez jamais de pinailler…

– La distinction est essentielle, Daniel. Mais si c'est une véritable réponse que vous attendez, alors la voici : moi.

Je suis obligé de rembobiner le fil de la conversation pour retrouver ma dernière question. Un profond malaise m'envahit lorsque je comprends.

– Vous ? je répète bêtement.

Quelques secondes s'écoulent avant que Mme Elia reprenne la parole. Son visage s'est fondu dans la nuit. D'elle, je ne distingue que la bouche, éclairée par la braise de sa cigarette.

– Mon fils Paul avait huit ans lorsqu'il est mort, murmure-t-elle. Infection pulmonaire fulgurante. Il y en avait beaucoup à l'époque – on disait que c'était à cause du nuage de pollution qui recouvrait la ville. Évidemment, votre grand-père m'a tout de suite proposé son aide. Lui et moi avions été très proches, comme vous le savez. « Tu le retrouveras, me disait-il, je te le promets... » Oh, je ne doutais pas de son talent ! Il aurait créé pour moi le plus beau des reflets. Mais mon fils était mort, ajoute-t-elle.

Ses mots se brisent douloureusement.

– J'avais bercé son petit corps glacé, continue-t-elle d'une voix altérée, je l'avais serré contre moi en pleurant... Il y a des sensations que l'on ne peut oublier, Daniel.

– Vous avez eu un enfant ?

Je suis au-delà de la stupeur. Le vertige m'envahit tandis que l'image que je me faisais d'elle depuis toujours se disloque. Mme Elia se contente d'acquiescer.

– Et vous avez refusé que grand-père crée un reflet de lui ?

– Il est des douleurs si violentes qu'elles se gravent dans votre chair, dit-elle tristement. Elles s'y incrustent, profondément, et la cicatrice ne s'efface plus. Aujourd'hui encore, je la sens pulser en moi… Alors, Daniel, croyez-vous vraiment qu'une projection 3D aurait pu me consoler de la perte de mon petit garçon ?

Son chagrin est si palpable que je ressens brusquement le besoin de me lever. La nuit a aboli la distance qui existait entre nous, laissant déborder les secrets, couler les confidences. Mais cette distance n'était-elle pas une protection ? Car la douleur de Mme Elia est une entité vivante ; je la sens *pulser*, moi aussi, comme un battement de cœur étranger… non, comme une pieuvre, qui tente de s'infiltrer en moi avec ses tentacules. Lorsque je lui réponds enfin, mon ton est plus froid que je ne l'aurais voulu :

– Vous n'avez jamais compris que les reflets étaient plus que ça, dis-je. Vous refusez de voir au-delà de la prouesse technique qui consiste à reproduire parfaitement leur apparence. Un reflet, c'est aussi – surtout, même – une projection de la personnalité du défunt. Alors oui, peut-être que vous n'auriez pas dû écarter la proposition de grand-père. Peut-être que vous y auriez trouvé un peu de réconfort… Seulement, vous savez ce que je crois ? Je crois que vous n'en vouliez pas.

Mme Elia tremble un instant, saisie d'un long frisson. Puis les dernières braises de sa cigarette s'éteignent en tombant au sol, et l'obscurité nous engloutit pour de bon.

– Si vous le dites, réplique-t-elle.

Son renoncement m'énerve tant, tout à coup, que je tape du pied sur la marche en béton.

– Vous avez toujours détesté les reflets ! je crie. Vous détestez cette Maison tout entière, vous méprisez ses habitants, vous plaignez ses visiteurs... Et pourtant, vous restez ! Pourquoi ? POURQUOI, hein ?

Ma gouvernante garde le silence, mais je perçois le poids de son regard. Je comprends aussitôt ce que cela signifie.

Sauf que je ne veux pas de ça.

– Je ne suis pas votre fils, dis-je avant de faire volte-face et de la planter là.

32

De tous les Passeurs, l'Ankou est le plus polymorphe. Sans âge ni visage, c'est un rôle plutôt qu'un personnage, un relais même, que reprend le dernier mort de chaque année. Dans la mythologie celtique, l'Ankou arpente les routes dans la nuit, tirant derrière lui une charrette grinçante, et l'on dit que le malheureux qui l'entend ne tardera pas à monter à son bord. (*Sur les rives du Styx : les mythes et divinités psychopompes à l'échelle du monde*, Iza Shinigami, éditions du Passage.)

Je suis en train de rêver. Je le devine à la texture lourde et sans odeur de l'air que je respire. À l'étrange paysage qui m'entoure, aussi : je me tiens au bord d'une route qui me semble infinie, et des deux côtés s'étend une plaine grise – de l'herbe desséchée, je crois, sur un lit de poussière.

Puis j'entends un bruit lointain, comme un grincement métallique. Il me faut un moment avant d'apercevoir le chariot. Il grossit sur la route, grossit encore, jusqu'à ce que je distingue la silhouette qui le tire vers moi. C'est Mona. Je la rejoins en courant, le cœur gonflé de joie à l'idée de la retrouver. Elle est vêtue d'une longue robe noire et paraît épuisée. Pourtant, le chariot n'a pas l'air très lourd – une fragile nacelle de bois sur deux grosses roues cerclées de métal – et en plus, il est vide.

– Te voilà enfin ! souffle-t-elle. Tiens, c'est toi le Passeur.

Elle me confie les bras du chariot avant de grimper à l'arrière. Sans même m'en étonner, je m'élance en avant, soulevant un nuage de poussière.

C'est à ce moment-là que je me réveille.

La matinée est sûrement bien avancée, mais je m'en fiche. Tout ce que je veux, ces derniers temps, c'est dormir.

Mes yeux fixent le plafond, mon esprit s'échappe. Contre toute attente, mes pensées me mènent jusqu'à Violette. Une terrible bouffée de culpabilité m'envahit aussitôt. Pourquoi est-ce que je n'arrive pas à me concentrer sur Mona ? Qu'est-ce qui cloche chez moi ? Je devrais la pleurer, je devrais penser à elle, sans cesse, pour ne jamais l'oublier… Mais Violette est la dernière personne qui me reste.

Car la solitude s'est abattue sur moi. Le petit cercle de proches qui m'entouraient s'est étiolé. Plus de Mona, plus de Matthias ni d'Elliott – mes amis n'allaient pas les uns sans les autres, et je ne peux me résoudre à revoir ceux qui restent. Pourtant, il me suffirait de me convaincre que Mona est là, quelque part avec eux, n'attendant que mon appel pour apparaître...

Je ne peux plus compter sur Mme Elia non plus. Je n'arrive plus à lui parler, je n'arrive même pas à la regarder dans les yeux. Depuis sa confession nocturne, quelque chose me tient loin d'elle, comme une puissante force de répulsion, un aimant inversé. Quant à mon père, on ne peut pas dire qu'il ait jamais vraiment été présent pour moi, mais ses mensonges m'ont encore éloigné de lui, en créant une barrière entre nous.

Pendant ce temps, l'été file avec indifférence, court et interminable à la fois. La cime du vieux cèdre roussit ; les doux brins d'herbe du parc se changent en tiges piquantes et jaunies ; les rues se vident et la pollution monte au-dessus de la ville, formant un dôme diffus. Par moments, ma solitude devient presque palpable – une boule qui se loge au milieu de ma gorge, grosse comme un poing.

Écrire à Violette est le seul moyen que j'aie trouvé pour me décharger de ce poids. Mes lettres s'allongent, se multiplient, je guette ses réponses avec une impatience de plus en plus vive. Mais je ne lui parle jamais de Mona.

Je n'y arrive pas.

33

– Daniel ?

Une voix m'arrache à ma contemplation silencieuse. Je me détourne de la grand-mère qui discute avec ses enfants, à l'ombre de l'Arche, et des petits qui courent autour d'elle en piaillant à qui mieux mieux. Une silhouette familière se tient derrière moi. Je ne l'ai même pas entendue approcher.

– Tiens, Daphné Maris, dis-je. Bonjour.

La voir me rappelle ce jour où j'ai perdu Mona. Ma gorge se serre un peu à cette pensée, tristesse et nostalgie s'entremêlent. La journaliste m'observe un instant, comme si j'étais une bête étrange. Je lui retourne son regard. Elle porte un chemisier bleu ciel et un pantalon beige. Le soleil a encore blondi les quelques mèches qui s'échappent de son chignon.

– Que fais-tu ici ? demande-t-elle, avant d'ajouter : Excuse-moi. Je peux te tutoyer ?

– Si ça vous fait plaisir, je réplique. Et vous, que faites-vous ici ?

Un demi-sourire apparaît au coin de ses lèvres. La jeune femme fait alors quelque chose qui m'étonne : elle s'assied à côté de moi, puis détache les lanières de ses sandales compensées et les laisse tomber dans l'herbe.

– Ouf, dit-elle, je n'en pouvais plus. Pour ce qui est de ta question, je suis venue rendre visite à ton père. Mais il n'est pas d'excellente compagnie aujourd'hui.

– Aujourd'hui... je répète avec un sourire amer. Pas de chance, hein ?

Daphné se tourne vers moi, épinglant mon regard. Je me fige. Ce qu'il y a derrière le bleu pâle de ses iris est parfaitement inattendu. C'est de la compréhension.

Et au même instant, une certitude m'envahit, m'enhardit : Daphné n'est pas du genre à mentir, elle. Alors je me lance :

– Je peux vous poser une question ?

Elle m'encourage à continuer d'un hochement de tête.

– Qu'est-ce que vous pouvez bien lui trouver ?

C'est vrai, non ? Que mon père soit loin d'être hideux, je veux bien, mais il est incapable de se détacher de son travail, pas spécialement à l'aise avec le monde extérieur et, pour couronner le tout, il a dix ans de plus que Daphné. Si j'avais pensé faire perdre contenance à la jolie journaliste, cependant, c'est raté. Son petit sourire retrouve aussitôt sa place.

– Honnêtement ? me répond-elle. Je n'en sais rien. Parfois, je me dis que Petro évolue dans un univers parallèle et qu'il ne s'en rend pas compte. Comme un reflet qui serait passé de l'autre côté du miroir, tu vois ? Il ne *comprend* pas les règles. Peut-être qu'il n'est même pas conscient de leur existence. Alors, quand il tente d'agir ou de réagir, il se retrouve systématiquement à côté de la plaque.

Son regard se perd au loin.

– De temps en temps, j'essaie de le lui expliquer. Je lui dis, par exemple, qu'il est stupide de vouloir dissimuler une relation à son fils de quinze ans, ajoute-t-elle en m'adressant un clin d'œil.

Puis :

– Il est désemparé, Daniel. Il ne sait plus comment faire pour te parler.

Je bondis sur mes pieds, brusquement hors de moi.

– Alors c'est pour ça que vous êtes ici ? Pour *rétablir le lien* ?

Comme si ça m'étonnait, en plus ! Mon père a toujours préféré envoyer des émissaires plutôt que de s'exposer :

tantôt Mme Elia ; tantôt l'un de ses reflets… Maintenant, c'est la journaliste qui s'y colle. Mais Daphné se contente de secouer la tête.

– Allons, Dan. Petro ne supporte pas l'idée que tu puisses un jour quitter la Maison Edelweiss, et que suis-je sinon un pont direct avec l'extérieur ?

– Pourquoi êtes-vous venue me parler, dans ce cas ?

– J'ai écrit huit articles sur cette Maison, répond-elle d'un air songeur. Tu les as lus ? (J'acquiesce. Évidemment que oui.) Ils plaisent beaucoup, tu sais… Ils plaisent même tellement que je suis passée du statut de simple pigiste à celui de journaliste en quelques mois. Mon patron me pousse à continuer d'écrire sur ce sujet – tu aurais vu sa tête, pourtant, la première fois que je lui ai parlé des Maisons de départ… Un truc avec des clones virtuels de morts ! Mais les lecteurs aiment. J'en suis même à me demander si je ne vais pas écrire un livre sur le sujet.

– On fera d'excellents personnages, j'en suis sûr. J'espère que vous n'oublierez pas la scène où le héros cache à son fils qu'il est sur le point de détruire le reflet de sa meilleure amie.

Daphné a un petit rire sec.

– Ça aurait été un grand moment de tension dramatique, mais Petro n'aime pas que je parle de toi dans mes articles. Enfin, ce que je voulais dire, c'est que je me suis habituée à cette Maison. Je lui dois une fière chandelle – un job et un vrai salaire ! Et puis je l'ai analysée sous toutes les coutures, j'ai étudié les visiteurs qui allaient et venaient, j'ai fouillé dans son histoire. D'une certaine manière, j'ai l'impression d'en faire partie, tu vois ? Sans compter que, comme tu le sais, je me suis impliquée un peu plus que je ne l'aurais dû avec ton père. Ce qui nous amène à la situation suivante : vous deux qui vivez entre ces murs, reclus du monde, dressés l'un contre l'autre ; et moi qui vous observe. Et tu sais quoi, Dan ? Vu de ma position, le spectacle est plutôt déprimant. Alors, si je peux faire quelque chose pour vous, je ne m'en priverai pas.

Je reste un instant silencieux, méditant sur le sens de ses paroles. Daphné semble sincère. De mon côté, j'ai l'impression que ma colère s'éteint – ou, plutôt, qu'elle s'est éteinte il y a quelque temps déjà, sans que je m'en rende compte, et qu'il n'en reste qu'un lit de cendres tristes.

– OK, dis-je enfin. Mais que pourriez-vous faire ?

Elle se penche vers moi avec un air de conspiratrice.

– Il y a quelque chose qui ferait plaisir à ton père. Quelque chose qu'il n'ose plus te demander.

34

Je m'avance dans la salle. Les écrans sont éteints, l'écho léger de nos pas rebondit d'un mur à l'autre. Mon père verrouille la porte pour s'assurer que personne ne nous dérangera – précaution inutile, la Maison s'étant vidée de ses visiteurs un peu plus tôt. Je m'approche de l'écran de contrôle et fais glisser mes doigts sur la surface tactile. La salle immaculée, impersonnelle, est balayée et nous sommes propulsés au cœur d'un autre monde. La lumière se transforme en chaudes éclaboussures de soleil. Le silence reflue, lui aussi, chassé par des vagues de musique, d'exclamations et de rires.

Je lève les yeux. La toile bleu pâle d'un ciel d'été se déroule au-dessus de nous. Je baisse les yeux. Sous mes pieds, la surface blanche a fait place à une aire bétonnée, parcourue de craquelures sombres. L'émotion monte en moi. Je n'ose pas encore poser le regard sur le décor qui m'entoure. *Mon* décor... Et s'il ne rendait pas aussi bien que sur mes écrans de travail ? S'il sonnait faux ? *Allez, Dan, un peu de courage.* Je me force à redresser la tête d'un coup.

C'est encore mieux que ce que j'avais imaginé !

Les jours de travail, les heures d'observation minutieuse, cette somme de détails patiemment assemblés... oh, tout ça valait le coup, vraiment ! Face à moi, la grande roue a entamé sa tranquille rotation, et ses nacelles pastel dansent doucement dans le vent. De chaque côté de l'allée, tentes et attractions s'alignent en une succession anarchique de formes et de couleurs : il y a le stand de tir, avec ses rangées de peluches et ses énormes cibles rouges ; des présentoirs regorgeant de bonbons et de churros ; le *Train de l'Angoisse* qui apparaît par intermittence, éclair fluo dans les coudes d'un tunnel sombre ; et même le *Palais des Glaces* qui se dessine en arrière-plan. Le mouvement des ballons d'hélium, attachés en grappe au-dessus d'une caravane, me ravit. Quant aux personnages, ils me paraissent particulièrement réussis. À ma gauche, une courte file patiente au guichet d'une attraction, tandis que des enfants courent entre les stands, disparaissant à l'angle d'un manège. Mon cœur en palpite de satisfaction. L'espace de quelques secondes, j'oublie même la présence de mon père.

Sa voix me ramène à la réalité.

– C'est drôle, murmure-t-il.

Drôle ? J'ai laissé de côté tout ressentiment à son égard et je me suis forcé à faire le premier pas. J'ai accepté de descendre jusqu'à son atelier, de frapper à sa porte, et je lui ai proposé de lui montrer mon décor – ce décor qu'il aurait dû découvrir il y a des semaines, si les choses s'étaient passées autrement. J'ai repoussé ma rancune et ma colère au fond de moi… Tout ça parce que Daphné avait raison, parce que nous ne pouvions pas continuer ainsi. Et en gage de bonne volonté, je lui ai offert ma toute première création. Alors… *drôle* ? Ce n'est pas exactement ce que j'espérais entendre.

Papa ne s'aperçoit pas de la tension que ce simple mot a fait naître en moi. Il avance lentement, traverse la salle, lève un peu la tête.

– Je suis déjà venu dans un endroit pareil. Je ne m'en souvenais plus, je crois que je n'y avais même jamais repensé jusqu'à aujourd'hui… C'est incroyable, je peux presque voir les bribes de souvenirs qui remontent à la surface de mon esprit.

Le silence le rattrape, son regard se brouille, et un sentiment d'urgence me prend. Je suis face à une ouverture, une porte que je ne dois surtout pas laisser se refermer.

– Quel genre de souvenirs ? je demande.

Il fronce les sourcils, comme s'il tentait de saisir le fil de ses pensées. Puis il reprend, d'une voix lente et rauque :

– Je me vois enfant. Plus jeune que toi… Quel âge est-ce que je peux avoir, au juste ? Cinq ans, six peut-être ? Je me tiens au milieu d'une fête foraine, il y a moins de musique, plus d'éclats de voix, et je fais des pieds et des mains pour qu'on m'achète un ticket. Je n'arrive pas à me rappeler l'attraction. (Il se concentre.) Il y a juste le guichet, une sorte de cabanon bariolé, et une silhouette floue derrière la vitre. Je tire sur le bras de Mme Elia. Mon père n'est pas venu, ajoute-t-il, il a beaucoup de travail.

Ses yeux sont mi-clos, à présent. Il ressemble à un fantôme perdu au milieu de la projection – un vague malaise m'envahit quand je m'en fais la réflexion. Je le vois tressaillir.

– Non ! s'exclame-t-il. Ce n'est pas Elia… C'est ma mère.

Il s'interrompt soudain, les yeux écarquillés. Cette fois, il ne ressemble plus à un fantôme mais à quelqu'un qui vient juste d'en croiser un. Je suis aussi stupéfait que lui. Je ne l'ai jamais entendu parler de ma grand-mère.

– Tu te souviens d'elle ? je murmure.

Il hésite.

– Maintenant, oui. Je revois son visage… son sourire. Comment ai-je pu l'oublier ? ajoute-t-il à mi-voix.

Je voudrais trouver quelque chose à dire, briser la bulle de silence qui s'est abattue sur nous... Mais mon père s'en charge de lui-même.

– Ce décor est magnifique, dit-il en secouant la tête comme s'il sortait d'un songe. Je suis fier de toi.

Et moi donc.

– Mais tu sais ce qu'il manque ? ajoute-t-il.

Mon sourire s'efface, ma mâchoire se crispe. La crainte de mal faire, l'obsession du détail me vrillent le cerveau. Qu'est-ce que j'ai pu oublier ? Je plisse les yeux, traque le moindre défaut dans la perspective, le mauvais mouvement, le...

– Les odeurs, reprend mon père. Odeur de barbe à papa, de pommes d'amour... Il faut que nous travaillions là-dessus, Dan. Peut-être que nous pourrions créer un diffuseur de senteurs qui se couplerait automatiquement au choix du décor. Imagine à quel point l'effet de réalisme en serait décuplé !

Intérieurement, je pousse un soupir de soulagement et me laisse gagner par son enthousiasme. Nous réfléchissons ensemble aux nouvelles possibilités qui s'offrent à nous.

– Passe me voir à l'atelier, conclut papa. Nous en discuterons plus sérieusement.

Il quitte la salle. Je le vois hésiter en passant devant l'écran de contrôle – il tend la main, comme s'il s'apprêtait à désactiver le décor, puis tourne la tête vers moi et hausse les épaules avec un sourire.

Il me le laisse.

Mon regard glisse jusqu'à la grande roue. Dans l'une des nacelles, une silhouette aux cheveux blonds monte vers le ciel.

Maison Edelweiss, le 5 octobre

Violette,

Deux semaines sans avoir de tes nouvelles, c'est long, tu sais ? Je dois prendre sur moi pour ne pas demander à Lucile et Cali de vérifier le courrier toutes les cinq minutes. (Je crois que je commence à les agacer un peu.) Tes lettres hebdomadaires m'auront donné de mauvaises habitudes !

Où es-tu, à cet instant précis ? Que fais-tu ? Que vois-tu du haut de la grande roue ? Il ne se passe pas une heure sans que je me pose la question. Ici, les arbres du parc roussissent doucement, et la Maison s'anime plus que jamais de monde et de bruits. Ces derniers temps, on dirait que les articles de Daphné ont vraiment fait enfler notre renommée (tu as lu le dernier, d'ailleurs ?).

Il y a aussi la soirée de la Toussaint qui approche. Je t'en ai déjà parlé, je sais, mais c'est tellement dommage que tu ne puisses pas venir pour l'occasion : c'est un drôle de moment, je peux te l'assurer ! Mon père a commencé à travailler sur le décor qui sera projeté pendant la soirée. Je ne le voyais déjà pas beaucoup avant ça, mais maintenant c'est l'homme invisible... Dort-il ? Se nourrit-il ? Mystère. Mme Elia est persuadée qu'il finira par se momifier dans son fauteuil, un de ces jours.

Ne me fais pas trop attendre, d'accord ?

À bientôt,

Dan

*

Maison Edelweiss, le 25 octobre

Violette,

C'est la cinquième lettre que je t'écris, et toujours pas de réponse. Je dois t'avouer que je commence à m'inquiéter. Qu'est-ce qui se passe ? J'ai listé toutes les hypothèses possibles :

– pénurie de papier ;

– panne dramatique d'inspiration ;

– conspiration de mes messagers qui se sont associés pour voler mes lettres ;

– ou peut-être ai-je écrit quelque chose qu'il ne fallait pas et que tu m'en veux.

Dis-moi, d'accord ?

Je pense à toi très fort,

Dan

35

Toutes les cultures célèbrent leur propre fête des morts. Halloween, Toussaint, Samain, Qingmingjie, Día de Muertos... Chacune à sa façon, ces fêtes constituent des ponts entre le monde des morts et celui des vivants, des moments de transition entre le jour et la nuit.

(*Sur les rives du Styx : les mythes et divinités psychopompes à l'échelle du monde*, Iza Shinigami, éditions du Passage.)

Avant, j'aimais bien le rituel de la Toussaint. J'y voyais une grande fête, un moment de rassemblement et d'agitation dans la Maison, et j'attendais avec impatience que le mois d'octobre se termine. Le compte à rebours s'enclenchait alors, l'excitation et le stress montaient d'un cran. Cali et Lucile s'affairaient pour établir la liste des convives et gérer les invitations ; mon père travaillait d'arrache-pied pour installer le nouveau décor ; Mme Elia supervisait l'entretien du parc et la préparation du banquet. Toute cette frénésie m'emportait. Je me laissais happer par le tourbillon des préparatifs avec bonheur, traînant dans les pattes des uns et des autres, courant partout avec Mona, Elliott et Matthias. Aujourd'hui, cependant, les choses ont bien changé. Je me sens étranger à tout cela, à l'écart. J'ai même envisagé de m'enfermer dans ma chambre pour la soirée – mais c'était compter sans Daphné, qui a voulu que je l'accompagne.

– Bordel, lâche-t-elle. C'est complètement dingue.

Son air ébahi m'arrache un sourire. Nous sommes en train de déambuler dans les salons du rez-de-chaussée. Les invités ne sont pas encore arrivés, la Maison tout entière est prise dans cet instant de flottement, ce vacillement entre calme et chaos. Quelques serveurs pressés nous dépassent, portant des plateaux chargés de petits-fours et de verrines. Les buffets sont déjà en place et débordent de victuailles, Mme Elia y a veillé. Les portes reliant les différents salons ont toutes été ouvertes. Nous passons de l'un à l'autre. Partout, les murs blancs ont disparu, remplacés par les décors réservés à cette occasion – et, je crois qu'on peut le dire, ils sont assez grandioses. D'immenses miroirs dans leurs cadres d'or accentuent la profondeur des salles. Des chandelles et des lustres de cristal projettent des étincelles de lumière sur cette longue galerie des glaces, tandis que de délicates moulures encadrent les fresques du plafond.

– C'est une reconstitution de Versailles, dis-je à Daphné. On n'utilise ce décor qu'une fois par an, pour la soirée de la Toussaint. Il ne change pas, mais papa veille à en modifier les détails : les buffets, qui doivent être parfaitement assortis à ceux proposés aux convives, les compositions florales, les tenues des reflets… Il ne faut pas que nos visiteurs aient l'impression d'assister à la même réception chaque année.

– C'est magnifique. Il faut absolument que j'écrive un article là-dessus.

La journaliste ne sait plus où donner de la tête. Elle active la fonction photo de ses lentilles 3D – les mêmes que les miennes, offertes par papa quelques jours plus tôt – et commence à enchaîner les clichés.

– Mais rassure-moi, cette soirée, ce n'est pas une idée de Petro ?

– Oh non. C'est bien trop…

– Bling-bling, complète-t-elle avec un sourire en coin. C'est ce que je me disais.

La soirée de la Toussaint a été mise en place par mon grand-père, dès les premières années de la Maison.

Et en parlant du loup, le voilà qui surgit dans le salon, étincelant dans son costume de fête. Moustache lissée, canne à pommeau d'or, haut-de-forme, costume trois-pièces et souliers vernis. Grand-père Edelweiss ressemble à un personnage tout droit sorti d'une de ces antiques comédies musicales en noir et blanc. Il se lancerait brusquement dans un numéro de claquettes que ça n'étonnerait personne.

– Daniel, mon petit ! s'exclame-t-il de sa voix tonitruante, avant de se tourner vers Daphné et de s'incliner bien bas : Mademoiselle. Bienvenue à la traditionnelle soirée de la Toussaint de la Maison Edelweiss. J'espère que les festivités vous raviront ! (Il tend le bras pour consulter sa montre.) Nos invités ne devraient plus tarder. Hum, je crois qu'il est temps que les lieux s'animent un peu.

Il claque deux fois dans ses mains, signifiant l'entrée en scène des reflets. Plusieurs groupes apparaissent ici et là, pépiant joyeusement, se dispersant en grappes bruyantes dans les différents espaces de réception. Daphné admire un moment leurs habits de soirée. Les robes longues accompagnent les costumes de soie finement tissée ; des perles, solitaires ou en rangs harmonieux, ornent oreilles et poignets ; bijoux et pupilles brillent de mille feux.

Les premiers invités arrivent, et les salons se remplissent peu à peu d'une foule bruissante. Je n'avais jamais vraiment observé les gens dans ce contexte. Il y a ceux qui viennent pour la première fois : on les voit de loin, avec leur air émerveillé et le regard agrandi qu'ils promènent alentour. Les autres, ceux qui font partie de la tradition depuis quelques années déjà, se baladent avec aisance. Certains ont formé des groupes qui discutent avec entrain. Des enfants traversent la salle en riant, bousculant un serveur qui retrouve son équilibre par miracle. Les coupes tintent. À mes côtés, Daphné n'en perd pas une miette. Nous finissons par croiser mon père. Il ressemble à quelqu'un d'autre, avec son costume impeccable et son nœud papillon.

– Petro Edelweiss, est-ce bien vous ? s'exclame Daphné.

Il accueille son baiser du bout des lèvres, me jetant au passage un coup d'œil embarrassé. Je tourne la tête avec un soupir avant de m'éloigner. Un peu plus loin, je croise Cali, resplendissante dans sa robe de dentelle rouge, puis Matthias, entouré d'amis, qui m'adresse un petit signe de la main. Je repère aussi Elliott de loin – il semble trépigner à côté de ses parents. Demi-tour immédiat !

Daphné me rattrape dans le hall d'entrée, une flûte de champagne dans chaque main.

– Hé là ! m'arrête-t-elle. Où est-ce que tu files ? Il y a un garçon qui te cherche à l'intérieur. Un petit brun avec les dents du bonheur...

– C'est exactement pour ça que je fuis, je réplique avec une grimace.

– Oh, je vois. Tiens, reprend Daphné en me tendant une flûte.

Je m'apprête à refuser, me ravisant au dernier moment. Après tout, pourquoi pas ? Nous quittons la Maison en silence. Le mois de novembre s'est fait annoncer par un vent glacé, qui s'infiltre sous les étoffes légères. Une lune aussi rousse que les frondaisons des arbres s'est levée. Pourtant, nombreux sont ceux qui ont bravé le froid. Il faut dire que le parc est particulièrement beau, ce soir. Des centaines de lampions illuminent bosquets et buissons, et l'Arche ressemble à une traîne étoilée. Visiteurs et reflets s'y pressent. Des buffets ont également été dressés là. Daphné s'en approche avec une gourmandise non dissimulée. Un lampion la nimbe soudain d'une aura dorée. J'en profite pour l'observer avec attention. Elle est vêtue d'une robe noire très simple, qui met sa silhouette en valeur, et un unique jonc d'argent orne son poignet. Elle est très belle, vraiment. Puis elle commence à engloutir les feuilletés à une vitesse stupéfiante.

– Quoi ? s'exclame-t-elle en surprenant mon regard.

– Rien.

– Allons, Daniel, je peux lire ta question sur tes lèvres. *Mais comment fait-elle pour rester svelte avec une telle capacité à se goinfrer de petits-fours ?*

Je me contente de hausser les épaules. Touché.

– Voilà mon secret : je suis journaliste ! C'est un métier misérable, alors on apprend très tôt à profiter de la moindre occasion de s'empiffrer.

Comme pour illustrer ce raisonnement, elle s'attaque aussitôt à une nouvelle fournée.

Tout à coup, je suis heureux que Daphné soit là, et plus heureux encore qu'elle soit entrée dans la vie de mon père. Elle est drôle, maligne, attentive. S'il existe une personne capable de percer la carapace de Petro Edelweiss, alors c'est elle, j'en suis sûr et certain.

36

Plus tard.

Nous sommes assis dans l'herbe, à l'écart de l'agitation. Il a fallu que je m'éloigne – c'était un besoin soudain, impérieux. Daphné a compris sans que j'aie à prononcer un mot, et elle m'a suivi. Une humidité froide monte de la terre, sous nos fesses. Dans le ciel, un épais voile de brume avance rapidement en direction du nord, avalant la lune. Quelle heure est-il ? Minuit ? J'ai l'impression que les bruits environnants s'estompent, et ne reste bientôt plus que le chuintement de nos respirations. Je n'ai pas besoin de fermer les yeux pour que mon imagination se mette en branle. La nuit de la Toussaint est là. La porte qui sépare le monde des vivants de celui des morts est en train de s'ouvrir, lentement, silencieusement.

Des visages se matérialisent dans mon esprit. Il y a Mona, il y a Violette... Elles se mélangent un peu. Elles me manquent, toutes les deux d'une manière différente, et leur absence est comme une morsure acide.

– Tu es pensif, remarque Daphné.

Je tourne la tête vers elle. La nuit a effacé ses traits, me rappelant un autre moment de confidences et d'obscurité. Mais cette fois, je suis prêt à parler. Je peux me confier à elle, je le sens.

– C'est Violette, dis-je. Elle n'a pas répondu à mes dernières lettres.

J'ai essayé de le cacher à tout le monde, de *me* le cacher, aussi, mais une inquiétude sourde monte en moi depuis plusieurs semaines. Toutes les excuses que je trouvais au début – *elle doit être occupée, elle n'a pas eu le temps de t'écrire, ou peut-être que ses lettres se sont perdues en route ?* – se sont écroulées.

– Depuis combien de temps ? demande Daphné.

– Un mois environ.

Soit six lettres sans réponse.

Mais ce n'est pas le plus inquiétant : dans deux jours, les forains auront quitté la dernière ville mentionnée sur le prospectus. Si Violette ne me répond pas… je l'aurai perdue. Daphné secoue la tête quand je lui explique le problème.

– Les forains ne sont pas des fantômes, Dan : ils ne disparaissent pas comme ça, au gré de leurs envies.

Ils suivent une route déterminée, et ils laissent des traces. Des tas de traces. Tu veux que je regarde si je trouve quelque chose ? ajoute-t-elle.

Une joyeuse bouffée d'espoir m'envahit.

– Sérieux ? Vous feriez ça pour moi ?

Elle s'est levée. Sa silhouette se découpe en ombre chinoise sur le fond de ciel.

– Tu as de la chance, dit-elle, parce que je suis une fouineuse de première. Je vais commencer par contacter quelques préfectures. Je reviens vers toi dès que j'ai l'info, OK ?

Puis, sur un dernier geste de la main, Daphné disparaît dans la nuit.

Je reste encore un moment assis dans l'herbe, souriant à la lune. C'est drôle : j'ai envie d'écrire. Me confier à Daphné m'a soulagé d'un poids, mais il m'en reste encore un sur les épaules... Je finis par regagner la Maison, me faufilant entre les grappes d'invités qui discutent dans le couloir. Je déverrouille la porte qui donne vers les étages et me hâte de grimper les marches, laissant derrière moi le tumulte de la fête. Ma chambre est étonnamment calme, après tout ça. Seule la respiration légère de ma mère, qui dort dans son fauteuil, rythme le silence.

Je glisse une main sous mon lit, en tire mon bloc-notes et mon stylo, et je commence à écrire.

Maison Edelweiss, le 31 octobre

Violette,

Septième lettre.

Dans trois jours, tu auras quitté la ville qui concluait la liste de vos escales, tout en bas du prospectus, et je ne saurai plus où te chercher. Je m'inquiète vraiment, ces derniers temps, j'espère que tu ne m'en veux pas de te l'avouer.

Je ne sais pas exactement pourquoi je t'écris à nouveau ce soir. Irai-je jusqu'au bout, t'enverrai-je cette lettre à la fin ? Je n'en suis même pas certain. Prends ça pour une bouteille à la mer, sans mer ni bouteille ; un message que l'on écrit plutôt pour soi et que l'on envoie en espérant secrètement qu'il n'arrivera jamais. Mais il y a quelque chose de réconfortant dans l'idée d'enfermer sa tristesse dans une enveloppe pour la laisser voguer au loin.

Il est tard ici, et la Maison résonne des bruits de la fête – c'est la fameuse soirée de la Toussaint. Tu les verrais, habillés comme à un réveillon, en train de siffler du champagne en riant... Avant, je faisais comme eux. Sauf que les choses ont bien changé :

maintenant, je me sens étranger dans ma propre maison, dans mon propre monde.

J'imagine que c'est à cause de Mona.

Je t'ai souvent parlé d'elle, hein ? Mais il y a une chose que je ne t'ai pas dite, à son sujet. Je ne sais même pas pourquoi... Peut-être que je n'en étais juste pas capable : l'écrire, ça aurait voulu dire que c'était réel. Bref, ils ont détruit son reflet cet été. Tout le monde me répète que ce n'est pas une mort, pas vraiment, puisqu'elle était déjà morte depuis longtemps, mais pour moi, c'est la même chose... Et personne ne semble vouloir le comprendre. Certains matins, quand je me lève, j'oublie qu'elle n'est plus là et je me prends à penser à ce que nous allons bien pouvoir faire dans la journée. D'autres fois, je rêve que tout ça n'était qu'un cauchemar duquel j'émerge soudain, le cœur léger... Puis je me réveille, réellement. C'est à ce moment que c'est le plus terrible : quand toute la douleur des derniers jours, à laquelle on avait fini par s'habituer, se retire pour revenir d'un coup, impossible à ignorer. On étouffe, on suffoque. Je m'en veux tellement, aussi, de laisser son visage s'effacer, de ne même plus arriver à entendre sa voix...

Et pire encore, je m'en veux de penser à toi plus souvent qu'à elle.

Le plus dur, c'est de n'avoir personne à qui se confier. Ce n'était qu'un reflet, disent-ils tous. Oui, mais c'était aussi mon amie. Alors, comme tu n'es pas là pour protester, Violette, je te fais endosser le rôle de confidente. J'espère que tu ne m'en voudras pas pour ça. Peut-être même que tu sauras me comprendre. En tout cas, je me sens déjà mieux, je crois.

Porte-toi bien, d'accord ?

Dan

*

Damrémont, le 5 novembre

Cher Daniel,

Je suis désolée d'apprendre la disparition de ton amie. Je comprends ta peine, crois-moi, je la comprends vraiment. Mais n'en veux pas trop à ceux qui t'entourent : face à un deuil, on est toujours seul, il me semble. C'est un gouffre qui se creuse en nous, et personne ne peut en imaginer la profondeur car il faudrait oser s'en approcher, se pencher au-dessus du vide, perdre soi-même une partie de son équilibre. Et tout ça pour quoi ? Pour découvrir l'épaisseur du chagrin qui se cache au fond et réaliser que la petite flamme que l'on a apportée s'y noiera aussitôt. Alors, on fait un pas en arrière. On se dit que la tristesse passera avec le temps, ou des formules de ce genre. Je suppose que c'est vrai, même si c'est un peu cruel.

Pardonne-moi d'avoir été si longue à répondre à tes dernières lettres. Chez moi aussi, les choses sont un peu compliquées en ce moment. J'ai parfois l'impression que le monde a terriblement rétréci, que ses bords étroits vont se rejoindre et m'écraser. Ma famille... eh bien, nous ne nous parlons plus beaucoup.

Tu veux bien m'envoyer de nouveaux dessins ? Ils me manquent. La vie ici est si monochrome... Il n'y a que le feuillage rougeoyant des arbres qui tranche dans toute cette grisaille. Il faut dire que nous avons eu de la chance, cette fois : au lieu des habituels terrains vagues ou des places bétonnées, nous avons pu nous installer dans un grand parc. Il y a même un bassin. Je passe des heures à regarder le mouvement des feuilles qui tombent lentement, les allées et venues des oiseaux dans les branchages, les rides du vent à la surface de l'eau.

À bientôt,

Violette

PS : Aujourd'hui, du haut de la grande roue, je n'ai vu que le ciel. Je ne sais pas pourquoi, mais je n'arrivais pas à baisser les yeux.

37

Assis au bord du grand bassin, je relis une troisième fois la réponse de Violette. Puis je ferme les yeux, tente de m'imaginer là-bas, à ses côtés. Le bruit de la fête, la rumeur des gens et des attractions… L'eau du bassin clapote doucement. Une brise froide caresse les allées du parc, décrochant des branches quelques feuilles jaunies qui tournoient un instant dans l'air avant de rejoindre le sol.

J'ouvre à nouveau les yeux. Mes doigts se posent sur l'enveloppe bleue, suivent la courbe de mon prénom. Soudain, je sens un léger renflement. Il y a encore quelque chose à l'intérieur. J'ouvre l'enveloppe et en tire un papier coloré, plié en quatre. Un nouveau prospectus ! Mes épaules se redressent, libérées d'un poids invisible. Je le dépose sur mon genou et le lisse du plat de la main, tout en commençant à mémoriser les prochaines escales.

Je sais maintenant où Violette se trouvera dans les six mois à voir. Et en mars, elle sera de retour en ville.

38

Quand on entre dans la Maison Edelweiss, l'omniprésence des caméras, des dispositifs de brouillage et autres systèmes de sécurité est impressionnante. « C'est un sujet sur lequel on ne plaisante pas, explique Petro Edelweiss. Un piratage serait ce qui pourrait nous arriver de pire. » L'un de ses concurrents en a d'ailleurs fait les frais le mois dernier. Des hackeurs se sont infiltrés dans son réseau et ont saboté sa base de données. En quelques secondes, les dizaines de reflets qu'il avait patiemment créés ont tous été détruits.

(Extrait de l'article de Daphné Maris, paru dans le magazine *Regards Modernes*.)

J'ai l'impression d'être un convalescent qui réapprend doucement à respirer. Peu à peu, les morceaux de ce qui avait été mon quotidien se remettent en place, et ma vie reprend une apparence de normalité. Les fils qui me relient aux autres – à mon père, à Mme Elia, à Daphné – restent toujours un peu distendus, mais la pensée de Violette suffit à compenser mon isolement.

Nos lettres se sont faites plus nombreuses qu'auparavant, elles se suivent en une ribambelle serrée et, peu à peu, ce qui n'était qu'une simple relation épistolaire se transforme en quelque chose de plus intime. Souvent, je m'émerveille de la différence entre la Violette que j'ai rencontrée devant la grande roue et celle qui m'écrit désormais. La première n'était qu'une inconnue, amenée sur mon chemin par le hasard, à la fois solaire et lointaine. L'autre est plus douce, plus proche. J'aime quand elle me parle des gens avec qui elle vit, dans cet univers de caravanes et de barbe à papa ; des bourgades endormies et des cités bourdonnantes qu'elle traverse ; de l'interminable ruban asphalté sur lequel défilent ses jours.

Cependant, je ne peux pas ignorer la mélancolie nouvelle qui imprègne ses lettres. Quelque chose s'est passé ces dernières semaines, je le perçois dans chacune de ses phrases : il y a une ponctuation invisible, comme un message secret que je cherche à déchiffrer entre les lignes. *Quelque chose s'est passé*, qui a forcé Violette à changer, à se raccrocher à moi comme je me raccroche à elle. La même image revient sans cesse, lorsque je ferme les yeux : Violette est enveloppée d'une carapace brisée en un millier de fragments, qu'elle ôte un à un, du bout des doigts, avant de les transformer en lettres qu'elle envoie jusqu'à moi. Ces fragments, je les garde précieusement. Je les décrypte, je les assemble, en attendant qu'un jour le tableau final se révèle enfin à mes yeux. Et surtout, je ne lui en dis rien. Par confiance sans doute – je veux croire qu'un jour elle m'en parlera d'elle-même. Par peur, aussi.

Parce qu'elle est seule, désormais, je le sens bien. Aussi seule que moi.

Avant, elle parlait de sa sœur jumelle. Peu, certes, et sans jamais la nommer...

Maintenant, elle n'en parle plus jamais.

39

Je sais que tout sera blanc à l'instant où j'ouvre les yeux. À travers les rideaux mal tirés, le ciel émet cette lueur si caractéristique, et un silence parfait enveloppe la Maison. Une excitation enfantine m'envahit aussitôt. Je jaillis hors de mon lit, gagne la fenêtre que je me dépêche d'ouvrir en grand. Une brise glacée en profite pour s'engouffrer dans la chambre, m'arrachant un frisson. Dehors, tout est exactement tel que je l'ai imaginé. Je passe la main sur la croûte de neige qui recouvre le bord de la fenêtre, soulevant un petit nuage de poudreuse qui s'éparpille dans les airs. Je me sens sourire sans raison, bêtement. C'est drôle, ce pouvoir qu'a la neige de transformer n'importe qui en gamin...

Il faut que je sorte !

Je ne prends même pas la peine d'attraper un pull ou une paire de chaussures. Cinq minutes plus tard, me voilà en pyjama et chaussons sur le perron de la Maison, seul face au parc enseveli. Quelques flocons tourbillonnent paresseusement dans l'air. Je lève la tête, yeux mi-clos, pour les laisser mourir sur mes joues. Minuscules baisers, fugaces et piquants de froid. Autour de moi, les arbres ploient sous la neige et le vent trace des sillons erratiques sur la pelouse immaculée. Je descends les marches du perron et m'engage dans l'allée principale, laissant derrière moi des empreintes bien nettes. Je ne suis pas le premier à fouler ainsi la neige fraîche : un peu partout, des chemins dessinés par de toutes petites pattes d'oiseaux s'entrecroisent.

L'envie de sortir de la Maison me prend soudain. Je n'aime pas la ville, mais la neige gomme la grisaille, remodèle le monde. Je veux voir la rue avant que les passants pressés et les voitures ne changent tout ça en flaques de boue sale. C'est le froid qui m'en empêche finalement, et les gargouillis de mon estomac. Bon, je reviendrai après le petit déjeuner. Je suis sur le point de faire demi-tour quand une silhouette franchit le portail. Lucile presse le pas en m'apercevant, me saluant au passage d'un grand geste de la main. Manteau de laine, bonnet, gants, elle est nettement mieux équipée que moi.

– C'est magnifique, hein ? s'exclame-t-elle. Par contre,

les routes et les transports en commun sont à peine praticables... La journée va être tranquille !

Nous rentrons ensemble. Je l'abandonne à l'accueil, grimpant rapidement à l'étage. Mes pensées volent vers Violette, une nouvelle fois. La neige me rapproche d'elle – c'est un jalon au milieu du laps de temps qui nous sépare. Plus que trois mois à patienter ! Trois mois et elle sera de retour. Mon cœur s'emballe un peu à cette idée. Comment sera-t-elle ? Comment est-ce que *moi*, je serai ? J'ai hâte et peur à la fois.

Mon père est déjà installé à table lorsque j'entre dans la salle à manger. Un bol de chocolat chaud fume à ma place. Je cherche Mme Elia des yeux, la bénissant pour cette attention. C'est dans mon dos qu'elle surgit tout à coup, une assiette de toasts grillés entre les mains.

– Bonjour, Daniel, dit-elle.

Son regard s'attarde sur mes cheveux humides, puis sur les quelques flocons qui finissent de fondre sur mes épaules. Une ébauche de sourire l'illumine.

– Je ne sais pas ce que vous en pensez, reprend-elle, mais je n'aime pas travailler lorsqu'il neige.

– Moi non plus ! Je comptais en profiter pour sortir en ville.

Mon père lève brusquement la tête. Mais il ne dit rien. Je me trompe ou cette journée s'annonce *vraiment* bien ?

Je m'assieds à mon tour, avalant une première gorgée de chocolat brûlant.

– Oh, j'oubliais, ajoute Mme Elia d'un ton nonchalant. Cali m'a confié ceci avant de rentrer chez elle, hier soir. Elle n'avait pas eu le temps de vous l'apporter.

Elle fait glisser une enveloppe bleue sur la table. Violette ! Je l'attrape aussitôt pour la décacheter. Mon père et ma gouvernante échangent un regard amusé, persuadés que je ne les vois pas. Mais je m'en fiche. Je déplie rapidement la lettre..., suspends mon souffle, manque de lâcher mon bol.

Il n'y a qu'une seule ligne sur le papier blanc. Une ligne et deux phrases, sèches, définitives.

C'était une erreur. Pardon mais il faut arrêter.

– Daniel ?

Je n'entends plus rien. Les bruits environnants, les voix, tout se dissout brusquement pour ne plus laisser qu'une rumeur lointaine et étouffée. On dirait qu'il neige à l'intérieur de mon esprit.

– Daniel ? Ça va ?

Je repense à ma dernière lettre, celle à laquelle Violette vient de répondre de manière si lapidaire. Sous mes yeux, l'un de ses mots semble clignoter. ERREUR. Tandis que je le fixe, il se dévoile, prend peu à peu une autre signification. *Une erreur...* C'est moi qui en ai fait une !

– Une erreur ? répète mon père. Qu'est-ce qui se passe, Dan ?

J'ai parlé tout haut sans même m'en rendre compte. Le son de ma voix dissipe un peu le brouillard, et je découvre soudain les regards inquiets de Mme Elia et de mon père, braqués sur moi. Je repousse ma chaise, filant avant qu'ils n'aient le temps de réagir. Quelques secondes plus tard, je suis à nouveau dehors, et je me laisse tomber dans la neige froide, tomber de tout mon poids, comme si je pouvais m'y enfoncer jusqu'à disparaître pour de bon.

L'hiver va passer, avec la neige, les sapins et les guirlandes lumineuses de la fin d'année, puis viendront les bourrasques froides de janvier, les courtes journées de février... Et enfin, tu seras là. Trois mois ! Il y a des jours où ça me semble être une éternité, où l'impatience menace de me faire éclater la cervelle. Et d'autres où tu me sembles tellement proche que j'en arrête de bouger pour essayer de capter ta respiration.

Je compte les jours, tu sais.

Car je n'ai jamais rencontré quelqu'un qui me comprenne aussi bien que toi. Parfois, je me dis que nous sommes les reflets l'un de l'autre.

Trois mois...

Qu'est-ce qu'on fera à ce moment-là, Violette ?

C'était ça, ma dernière lettre. Mais il n'y aura pas de retrouvailles. Cette évidence ouvre un gouffre au fond de moi. Mes doigts tremblent, un fin nuage de vapeur se forme chaque fois que j'expire.

40

Après cela, il n'a plus été question de sortir en ville. Je me suis écroulé sur mon lit et je n'en ai plus bougé. Je n'ai plus le goût de me lever, de parler, je n'arrive même plus à penser. Mon esprit est tellement embrouillé. Le froid est la seule sensation qui me reste. C'est comme s'il s'était infiltré à l'intérieur de moi, si profondément que plus rien ne peut l'en déloger. Jamais je n'aurais pensé qu'il pouvait être aussi difficile de se réchauffer.

Comme je ne fais pas mine de sortir de mon lit, le défilé commence. Il y a d'abord ma mère, avec son beau visage crispé par l'inquiétude. Je désactive mes lentilles 3D pour ne plus la voir. Mme Elia frappe ensuite à ma porte, une fois, deux fois. Je ne réponds pas. Et enfin, mon père vient. Il entre sans un mot, tournant en rond dans la pièce pendant de longues minutes. Il ne sait pas comment me parler – il n'a jamais vraiment su le faire, et je suppose que ça ne s'apprend pas comme ça, à l'instant où l'on en a besoin. Alors, il me regarde sans rien dire. Ce que je vois dans ses yeux me fait l'effet d'une décharge électrique. C'est une tristesse si profonde… si familière. Est-ce qu'il décèle la même chose en moi ?

– J'ai lu le mot de ton amie, finit-il par lâcher. Tu l'avais laissé sur la table, et je…

Il secoue la tête comme pour s'excuser, avant de reprendre d'une voix plus douce :

– Je sais combien c'est douloureux, Dan. Le moment où tout s'arrête. Le sentiment de rejet, l'autre qui s'éloigne à toute allure alors que tu es forcé de rester en arrière… L'abandon, ajoute-t-il d'un souffle. J'aurais voulu t'en protéger, que tu n'aies jamais à l'affronter… Mais nous sommes là pour t'aider, si tu le souhaites.

Cet instant a quelque chose d'étrange, d'effrayant aussi, car il me laisse entrevoir une facette de lui-même que je ne connaissais pas. Cependant, ce n'est pas une idée que je peux affronter, et je me contente de la repousser.

– J'ai juste besoin d'être tranquille, dis-je.

Il hésite, puis il part.

Et je reste cloîtré dans ma chambre. Une semaine s'écoule ainsi, rythmée par les averses de neige. Je finis par enlever les photos de la fête foraine qui étaient accrochées au mur. Les manèges disparaissent dans la corbeille à papier. Parfois, je pense à Mona, et des éclairs de culpabilité m'assaillent. Je suis en train de l'oublier. J'enterre sa disparition sous un autre chagrin – et tout ça pourquoi ? Parce qu'une fille ne veut plus de moi ?

Puis, un matin, la voix de Mme Elia s'élève de l'autre côté de la porte.

– Daniel ?

Je parie qu'elle m'apporte un autre plateau chargé de nourriture. Mais je n'ai pas faim, pourquoi refusent-ils de le comprendre ? La poignée tourne. La silhouette de ma gouvernante apparaît dans l'encadrement. Elle n'est pas seule, papa l'accompagne.

– Habille-toi, Dan, dit-il.

– Hein ?

– Tu viens avec nous. Nous te sortons d'ici.

Je les fixe, hébété, remarquant au passage qu'ils sont tous les deux chaudement vêtus. Comme si elle lisait dans mes pensées, Mme Elia me contourne pour fouiller dans mon armoire. Elle en tire un pull et un manteau, qu'elle me tend sans un mot. Je n'ai pas la force de poser la moindre question, de réagir, de lutter, alors je me contente d'obéir à cette injonction muette et, quelques minutes plus tard, nous quittons la Maison.

Un soleil timide s'est levé sur le parc. La neige fond doucement, des taches vertes apparaissent par endroits, et de petites flaques parsèment l'allée principale. L'eau goutte du toit et des arbres, tintement léger au milieu du silence. Nous nous mettons en route. De l'autre côté du portail, une berline grise nous attend. Je la fixe un instant. Depuis combien de temps ne suis-je pas monté dans une voiture ?

– Monte, déclare mon père en me désignant la portière arrière.

Je me glisse à l'intérieur. Un parfum et une chaleur agréables flottent dans l'habitacle. Le chauffeur, auquel je n'ai pas prêté attention, baisse son rétroviseur. Dans le miroir, son regard cherche le mien. Je sursaute en le reconnaissant.

– On ne dit même pas bonjour ? s'exclame Daphné.

Alors ils sont tous là !

Une petite braise se rallume en moi. Papa m'adresse un sourire d'encouragement, tandis que Daphné démarre. Je colle mon front contre la vitre, laissant mon attention dériver le long des rues. Des bonshommes de neige se désagrègent lentement devant les portes des immeubles. Je trouve enfin le courage de poser la question qui me brûle les lèvres.

– Qu'est-ce qu'on est en train de faire ?

– Tu ne t'en doutes pas ? répond Daphné.

Si.

Je roule vers Violette. La braise devient brandon, me réchauffe le cœur. Mais un souffle de panique vient rapidement l'éteindre.

– Non, je bredouille, c'est impossible ! Elle ne veut plus de moi, je ne...

– Dan, arrête, me coupe Daphné. Tu ne peux pas rester enfermé dans ta chambre, à te morfondre pendant des jours en te demandant pourquoi Violette a rompu le fil ! Tu *dois* savoir. Et pour ça, il faut que tu sortes de ton petit monde.

– Elle a raison, approuve Mme Elia. Si vous ne faites rien, vous le regretterez longtemps.

Pendant ce temps, mon père reste silencieux.

– Qui a eu cette idée ? je demande alors.

– Moi, dit-il tranquillement.

J'en reste bouche bée. Des dizaines de pensées et d'émotions se bousculent sous mon crâne. *Je vais revoir Violette ! Sauf qu'elle ne veut pas te voir, Dan. Peu importe, elle sera là, en chair et en os... Mais il y avait quelque chose de bizarre dans ses lettres ces derniers temps, non ?* Une question plus pressante finit par se frayer un chemin jusqu'à mes lèvres, jaillissant à l'air libre à la façon d'un cri de désespoir :

– Qu'est-ce que je vais lui dire ?

– Ne t'en fais pas, rétorque Daphné, tu as environ cinq heures pour y réfléchir. La route est longue.

41

Je descends de la voiture avec l'impression de mettre les pieds dans un songe qui ne m'appartient pas. Des fragments de musique me parviennent. Des lumières colorées brillent au loin, palpitant derrière une frange d'arbres aux branches caparaçonnées de givre.

La nuit est tombée. Je ne sais pas exactement où je me trouve – enfin, si, je connais le nom de la bourgade que nous venons de traverser, mais c'est à peine si j'ai prêté attention au trajet. Dix minutes auraient pu s'écouler, ou bien dix ans, peu importe : absorbé par mes pensées, je n'ai rien vu du paysage.

La seule chose qui me rattache à la réalité, c'est la neige. Elle m'a accompagné jusqu'ici, et lorsque je tends la main, un flocon vient s'y déposer. Je jette un coup d'œil par-dessus mon épaule. Derrière moi, les autres n'ont pas bougé de la voiture. Ce moment n'est pas à eux, ils le savent, et ils ne me suivront pas. Je rejoins le sillon de lumière blanche que les phares tracent dans l'obscurité, marchant jusqu'au bout du chemin qu'ils ouvrent pour moi.

Comme à leur habitude, les forains se sont installés en périphérie de la ville ; non pas sur un parking bétonné, cette fois, mais sur ce qui ressemble à un terrain de football. Je lève les yeux en traversant le rideau d'arbres. Le givre reflète les néons des manèges, allumant des paillettes qui ricochent de branche en branche. C'est beau, presque magique. Un peu plus loin, des guirlandes électriques clignotent pour indiquer le chemin aux visiteurs. Je les suis, m'engageant dans une allée latérale. Plus j'avance et plus mon cœur cogne dans ma poitrine. Est-ce que Violette est dans les parages ? Je la cherche du regard, m'attardant sur les coins d'ombre, scrutant les visages derrière les guichets. Je ne devrais pas avoir trop de difficulté à la trouver, car il n'y a presque personne. La nuit et la neige ont dû faire fuir les visiteurs : quelques gamins crient dans les autos-tamponneuses ; une fillette profite, seule, d'un vieux manège sous le regard ennuyé de son père. J'avance encore.

Les phrases que je me suis répétées pendant le trajet résonnent dans mon esprit, se mélangent, se confondent. L'impatience monte d'un cran – un point de chaleur intense bat dans mes côtes, un souffle inquiet suit chacune de mes inspirations. Je serre les poings pour empêcher mes doigts de trembler.

À mon insu, mes pas m'ont mené vers une silhouette familière. Je m'arrête au pied de la grande roue. C'est drôle, elle me paraît bien différente de la dernière fois. Une fine pellicule de glace recouvre l'armature métallique. Les nacelles sont vides, la nuit a gommé leurs couleurs. Elles se balancent en l'air, émettant des grincements sinistres. Je lève les yeux, plus haut encore. La courbe supérieure de la roue est invisible, mais des LED bleues dessinent son tracé dans l'obscurité. Finalement, je fais demi-tour pour chercher le guichet. La petite guérite rouge est vide, malgré le panneau TICKETS qui clignote juste au-dessus.

– On va fermer. Reviens demain si tu veux faire un tour.

Je sursaute. La voix a surgi de nulle part. Non, pas de nulle part. Un homme est adossé au guichet, un forain. Il se redresse un peu, et son visage sort de l'ombre. De petites volutes de vapeur montent devant lui tandis qu'il souffle sur ses mains jointes pour les réchauffer.

– Je ne suis pas là pour ça, dis-je. Je cherche Violette.

Un léger tressaillement agite ses épaules. Il a froncé les sourcils, et il m'observe maintenant comme si j'étais une bête dangereuse.

– Mais t'es qui, toi, putain ? s'exclame-t-il.

La violence de sa réaction me prend de court. Je bredouille une réponse :

– Je m'appelle Daniel. Je suis un ami de Violette, nous... euh, nous nous écrivons.

La méfiance quitte aussitôt ses traits, bousculée par un autre sentiment que je mets un peu plus de temps à décrypter. Puis mon sang se glace. C'est de la compassion. Une crainte sourde m'envahit soudain, je suis prêt à faire volte-face pour ne rien entendre. Mais le type reprend :

– Merde, tu n'es pas au courant ?

– Au courant de quoi ?

– Violette est morte, lâche-t-il. Désolé.

Ensuite, il reste planté là un moment, cherchant en vain à ajouter quelque chose. Puis il hausse tristement les épaules et s'en va.

42

Je suspends mon souffle.

Il y a encore un peu d'air dans mes poumons, j'en ai une conscience aiguë, presque douloureuse – de petits grains d'oxygène qui roulent à l'intérieur de mon corps et qu'il faut que je retienne, de toutes mes forces. Car dans ces grains, il y a le moment d'avant, il y a le monde d'avant. Il y a Violette ! Cette idée s'impose à moi, effaçant tout le reste, la silhouette du forain qui s'éloigne, les lumières, les ombres. Mon corps est un sablier, et je dois retenir le temps, je dois l'empêcher de filer et d'emporter Violette loin de moi. Je me concentre, luttant désespérément contre cet instinct qui voudrait me forcer à respirer. *Si je réussis, elle n'aura pas disparu !* Des points noirs dansent dans mon champ de vision comme des flocons obscurs. Je n'y fais pas attention, focalisé sur une unique pensée.

Ne pas laisser Violette m'échapper.

Ne pas...

Mes poumons repoussent brutalement ma volonté. Une quinte de toux me plie en deux. Je tombe à genoux. Mes mains s'enfoncent dans la neige. Un serpentin glacé s'enroule autour de mes doigts, remonte le long de mes bras. Je le laisse faire – c'est comme si le froid m'offrait une seconde peau, plus épaisse, insensible. Je voudrais qu'il m'enveloppe tout entier. Pourrait-il me rendre imperméable au monde ? à la tristesse ? *Oh non.*

Tristesse.

C'était le mot qu'il ne fallait pas prononcer, même en pensée... La chape de protection que mon esprit avait érigée vole aussitôt en éclats.

Je reviens à la réalité.

Quelle réalité ? chuchote une petite voix dans ma tête. *Violette ne peut pas être morte ! Elle m'a juste écrit qu'elle ne voulait plus de moi...* Mais la douleur monte, en un flot incontrôlable. C'est un raz-de-marée qui emporte tout sur son passage, y compris mon cœur : il arrache ses amarres, avant de le projeter contre mes côtes pour le réduire en miettes. Mais la douleur ne s'arrête pas, elle grimpe encore, et l'amertume atteint ma gorge. Mon regard capte alors un mouvement.

À deux mètres à peine, la porte d'une caravane s'entrouvre. Un flot de lumière s'en déverse, puis une silhouette emmitouflée dans un manteau épais saute à terre.

Je me fige.

Ses longs cheveux ondulent sur ses épaules. La pénombre dissimule leur blondeur, mais je reconnais le trait marqué de ses pommettes, l'arête fine de son nez. Le raz-de-marée reflue. Les miettes de cœur se rapprochent, aimantées par un espoir fou. Se retrouvent, se reforment. *Boum*. Un premier battement, timide, incertain. Puis tout repart, d'un coup. *Boum* ! L'allégresse la plus pure m'envahit, remontant le long de mes veines, et bientôt, c'est un orchestre au complet qui tambourine à l'intérieur de ma poitrine.

Qu'importe si elle m'a rejeté, qu'importe si elle ne veut plus me voir et si nos chemins se séparent aujourd'hui. Elle est là, elle bouge, elle est vivante !

– Violette !

J'ai crié son nom de toutes mes forces, et je me mets à courir vers elle. Son visage pivote, captant les éclats de lumière d'un manège voisin.

Mon élan est stoppé brutalement.

– Daniel ?

Les néons éclairent ses cheveux, à présent. Mais ils ne sont pas blonds. Ma mâchoire se décroche, la nuit s’infiltre en moi. Comment ai-je pu oublier que Violette avait une sœur jumelle ?

– Où est-elle ? je murmure.

Esther secoue la tête. Une larme brille au coin de ses yeux.

43

La voiture file sur l'autoroute, mais à l'intérieur tout semble figé. Le silence règne, seulement troublé par le crissement des essuie-glaces sur le pare-brise et ma respiration. Personne n'a prononcé un mot depuis que nous sommes partis. Ils ont envie de parler, pourtant, je le sens bien. Ils hésitent, ouvrent la bouche, la referment aussitôt. Tant mieux. Qu'ils se taisent. Je me fiche de leur malaise.

Ma joue est collée à la vitre froide. De l'autre côté, la nuit défile à toute allure, striée de points lumineux que la vitesse étire en traînées baveuses.

Je croyais savoir ce qu'était la tristesse ? Je n'avais même pas approché de ses frontières. Et tandis que je m'y enfonce, les contours du monde s'effacent autour de moi.

Tout mon esprit est bloqué sur Violette : je revois son sourire narquois lors de notre seule vraie rencontre, ses cheveux sous la lune, son visage renversé vers le ciel. Les souvenirs tournoient et, dans un instant de lucidité, je tremble en réalisant ce qu'ils sont désormais – les fragments rares d'une collection qui ne grandira plus. Des fragments que je polirai avec le temps, jusqu'à ce que leurs aspérités disparaissent et que leur éclat se ternisse, puis que je perdrai pour de bon, un à un…

La voiture ralentit alors que nous traversons une ville endormie. Des panneaux publicitaires clignotent au-dessus d'un fast-food encore ouvert.

– Tu as faim ? me demande mon père.

Je me contente de secouer négativement la tête.

Daphné accélère. Dans l'habitacle, le silence retombe en même temps que les pensées noires. L'incrédulité m'assaille parfois : *Violette ne peut pas être morte, Dan. Tu as dû mal comprendre. Peut-être que c'est une drôle de blague et qu'elle t'écrira bientôt pour tout t'expliquer ? Ou peut-être que tu es en train de rêver. Oui, c'est sûrement ça ! Un cauchemar, rien de plus.* Mais il y a quelque chose qui bat dans mon ventre, qui bat si fort que je n'ai pas besoin de me pincer le bras pour savoir que je suis bien réveillé.

Des larmes jaillissent soudain au coin de mes paupières. J'essaie de toutes mes forces de les retenir. Mais il est trop tard. Elles mouillent déjà mes joues, roulent sur mon menton, glissent le long de mon cou. Une série de hoquets désespérés me secouent, rompant net ma respiration. Je voudrais hurler, je voudrais...

Une main se referme sur mon épaule, me tire vers la droite. Je tente de résister, mais la poigne de Mme Elia est ferme, et je n'ai plus de forces. Ma joue rencontre le tissu épais de sa veste. Puis son parfum emplit mes narines. Mes dernières défenses cèdent ; je me laisse glisser contre elle, mollement. Sa main trouve ma nuque, caresse mes cheveux. *Pleurez, Daniel.* Elle n'a rien dit, mais la tendresse de ses gestes parle pour elle.

Alors je lui obéis.

44

Le salon s'est évaporé. Je suis assis au milieu de l'aire bétonnée, noyée de soleil. Une musique criarde emplit mes oreilles, les silhouettes des visiteurs déambulent entre les attractions, et celle de Violette apparaît et disparaît au rythme lent de la grande roue. C'est une bonne métaphore de notre relation, non ? Je l'observe monter dans la nacelle bleue. Elle atteint bientôt la cime de la roue. Instant suspendu où sa blondeur tutoie le ciel… C'est la seconde à laquelle mon souffle s'interrompt, où des idées pleines d'un espoir stupide m'envahissent. *Et si la roue repartait soudain dans l'autre sens ? Si Violette redescendait, un peu étourdie, avant de me repérer et de courir vers moi ?* Mais tout comme les grains du temps qui s'écoulent dans le sablier, la grande roue n'infléchit jamais sa course. Violette bascule en avant tandis qu'une autre nacelle prend sa place, et je la perds. Dans ma poitrine, une pulsation légère salue sa disparition – mon cœur, il s'est serré tant de fois qu'il n'est plus capable de faire mieux que ça.

Un bruit incongru se superpose soudain à la mélodie de la fête foraine : quelque part, on frappe à une porte.

Je me frotte les yeux avec irritation. Qui est-ce, encore ? Peut-être que je devrais rester là sans répondre. Faire le mort... Mais une voix féminine s'élève alors, balayant cette idée.

– Daniel ?

C'est la troisième fois seulement que j'entends cette voix. Pourtant, je la reconnais sur-le-champ. À la fois familière et étrangère... Esther.

Que fait-elle ici ?

De l'autre côté de la porte, elle répète timidement mon prénom. C'est un fil fragile, je le sens : si je ne me dépêche pas de bouger, elle fera demi-tour et s'évanouira pour de bon. Sauf que je ne sais pas comment réagir, quoi dire... Mon esprit s'embrouille, s'embrume, je réponds sans réfléchir :

– Entre.

La porte du salon s'ouvre en silence, découpe un carré sombre au sein du décor, puis Esther s'avance d'un pas hésitant. Elle porte un jean délavé et un sweat noir, un peu de neige blanchit ses épaules. Ses cheveux sont tirés en arrière, accentuant la courbe saillante de ses pommettes. Elle est plus pâle que dans mon souvenir, plus maigre aussi, et une drôle de flamme grise brille au fond de ses prunelles. Nos regards se croisent – dans le sien, je décèle les mêmes griffures de tristesse.

Puis elle lève une main jusqu'à ses yeux, comme pour se protéger. Il me faut un instant pour comprendre ce qui cloche.

– Oh, tu n'as pas de lentilles ?

Elle me regarde avec un air d'incompréhension.

– Extinction ! je m'exclame en bondissant sur mes pieds.

La projection disparaît aussitôt, le salon devient immaculé. Mes doigts se baladent sur l'écran de contrôle. Le visage de Cali apparaît dans une fenêtre, aussi souriant qu'à son habitude.

– Esther n'est pas équipée. Pourriez-vous lui apporter le matériel nécessaire ?

– Bien sûr, Daniel.

Quelques secondes plus tard, la jeune femme nous rejoint, deux petits boîtiers entre les mains. Je la laisse expliquer à Esther le fonctionnement des lentilles et des oreillettes, puis elle l'aide à les mettre en place. Elle nous laisse ensuite, refermant la porte derrière elle.

– Maintenant, dis-je à Esther, cligne trois fois des yeux.

Elle m'obéit, avec ce regard écarquillé des gens qui ressentent pour la première fois le contact de la lentille sur leur cornée. Puis je réactive le décor. Les murs de la salle s'effacent, l'horizon s'élargit, la musique atteint ses tympans. La tête d'Esther s'incline tandis qu'elle découvre le décor forain, ses sourcils dessinent un arc et sa bouche s'entrouvre sur un demi-sourire incrédule.

– Alors c'est ça, les fameuses Maisons de départ ? dit-elle. Ça ressemble à chez moi, en fait.

– Ce n'est qu'un décor. Lorsqu'ils pénètrent dans la Maison Edelweiss, les visiteurs en choisissent un parmi les dizaines qui sont à leur disposition et vont s'installer dans un salon. Ce décor-là n'est encore qu'à l'état de prototype, j'ajoute. Je ne sais même pas s'il sera installé un jour… (J'hésite un instant.) C'est à cause de lui que je suis allé à la fête foraine, l'année dernière. J'avais besoin d'un modèle.

Le regard d'Esther va et vient, volant d'un détail à un autre. Je me surprends à surveiller son expression, attendant une moue de désapprobation, un air insatisfait.

– Tu as embelli la réalité, dit-elle enfin. Tout est plus coloré, plus lumineux… Je suis sûre que Violette aurait aimé.

Est-ce que c'est une marque d'appréciation de sa part ? Je n'en suis pas certain. Je n'ai cependant pas le temps de lui poser la question. Ses yeux se plissent. Esther vient de remarquer quelque chose : une tête blonde, dans l'une des nacelles de la grande roue. Elle la fixe un moment, suit sa lente ascension… avant de se détourner pour examiner le reste du décor. Elle semble chercher quelque chose. Mais quoi ? La réponse me traverse soudain l'esprit, faisant naître un vague malaise en moi. Pas quelque chose, mais quelqu'un. *Elle*, bien sûr.

Sauf qu'Esther n'est nulle part. Dans mon esprit, elle n'a jamais été qu'une ombre. Je l'ai séparée de sa sœur sans même m'en rendre compte, la repoussant hors du décor, la reléguant à un arrière-plan imaginaire. Le pire, c'est qu'elle n'en paraît pas surprise, comme si cette transparence était quelque chose qu'elle avait accepté depuis longtemps.

– Et les reflets ? finit-elle par demander. Où sont-ils ?

– Je ne les ai pas convoqués. J'avais besoin de rester seul.

– Je comprends.

Elle esquisse un sourire, si triste qu'il me chamboule. Elle s'assoit au centre de la salle. Quelques secondes plus tard, je l'imite. Nous restons silencieux, comme si aucun de nous ne savait par où commencer. Puis je me lance :

– Pourquoi es-tu venue ?

– Parce que j'ai vu ton expression, hier soir, répond Esther.

Elle tend une main devant son visage, l'observe à la lumière claire de cette journée virtuelle.

– J'ai l'impression d'être dans un monde parallèle, dit-elle. Dehors, il fait nuit noire et il neige. Et ici...

Son visage se détend. L'espace d'un instant, je retrouve Violette en elle. Puis nos regards se lient. La tristesse reprend sa place, sa voix se fait plus rauque.

– Jusqu'à présent, murmure-t-elle, tu n'étais qu'un étranger pour moi. C'était facile de ne pas penser à toi. Je ne t'avais vu qu'une seule fois, quelques minutes à peine, je ne me rappelais même pas ton visage. Alors je t'en ai voulu de débarquer comme ça, hier soir. J'ai pensé que tu n'étais pas à ta place, que tu devais partir. J'avais mon propre chagrin, et le tien ne valait rien à côté. Puis j'ai vu ton expression. Ma colère est retombée d'un coup. J'ai voulu te rattraper. Te parler de ma sœur... Tu mérites de savoir ce qui s'est passé, après tout. Mais tu es parti trop vite.

– Alors tu es venue jusqu'ici. Comment as-tu fait ?

Esther hausse les épaules :

– Oh, ce n'était pas compliqué : je suis montée dans le premier train venu. Trois heures plus tard, j'étais ici.

Pas compliqué. Je repense au mal que j'ai eu, pour simplement sortir de la Maison, et je me sens un peu embarrassé. Esther semble s'en apercevoir.

– Je n'avais rien de mieux à faire, tu sais, dit-elle comme pour atténuer ma gêne. Avec la neige, les attractions sont désertes. Les gens restent chez eux, bien au chaud... Mes parents n'ont même pas dû se rendre compte de mon absence.

– Merci, je lui réponds juste.

Elle me retourne un sourire.

Il nous faut encore de longues minutes de conversation avant de trouver le courage d'aborder le cœur du sujet. Enfin, Esther se lance. Elle me raconte tout, d'une seule traite : la malformation génétique qui menace sa famille depuis plusieurs générations ; la première fois où Violette a fait un malaise ; les rémissions et les rechutes ; les espoirs de traitement toujours déçus ; grandir en ayant conscience de ce couperet, de cette injustice, tenter de retenir la rancœur qui monte et qui menace de déborder, vivre quand même. Puis un matin, ne plus se réveiller.

La voix d'Esther se casse. C'est elle qui l'a trouvée, inanimée dans son lit.

Ma gorge se serre. Dans ma tête, les pièces du puzzle se mettent en place une à une. J'ai toujours senti que Violette cachait quelque chose... douloureux secret en filigrane, sur lequel je n'osais pas l'interroger. Mais la vérité est bien pire que tout ce que j'avais imaginé.

– Le jour où tu as croisé sa route, continue Esther, Violette s'était levée dans une forme incroyable. Et le ciel était d'un bleu si intense, tu t'en souviens ? Elle a cru que c'était un signe. Qu'on lui avait donné un peu de force pour pouvoir te rencontrer. Qu'on lui avait offert un moment magique. Ça l'a tenue debout pendant des jours, tu sais. Et quand ta première lettre est arrivée... Elle était si heureuse !

– Pourquoi est-ce qu'elle ne m'a rien dit ?

– Qu'est-ce que tu aimais tant chez elle ? réplique Esther.

J'ouvre la bouche, la referme aussitôt.

Violette était un souffle de vivacité et de lumière, et elle en était parfaitement consciente...

– Elle ne voulait pas qu'on la regarde avec pitié, reprend sa sœur. Elle voulait continuer de susciter l'admiration et l'amour, pas autre chose.

– Elle m'a écrit pour me dire qu'il fallait arrêter, je murmure. Elle devait sentir la fin arriver...

Les yeux d'Esther se voilent.

Puis elle se lève.

– Il faut que j'y aille. Dommage, ajoute-t-elle avec un dernier regard pour le décor qui nous entoure. J'aurais aimé voir les fameux reflets de la Maison Edelweiss.

– Dans deux mois, je réponds.

Esther fronce les sourcils.

– Quoi ?

– Toi et les forains serez en ville en mars, non ? Je te ferai une visite guidée de la Maison.

– C'est une promesse ?

J'acquiesce. Un dernier sourire éclaire le visage d'Esther, et elle fait demi-tour.

45

Autour de moi, la fête foraine frémit doucement sous le soleil, mais je ne parviens plus à y prêter attention. L'arrivée d'Esther a brisé la léthargie dans laquelle je m'étais laissé couler. Mes pensées semblent désormais lui appartenir, comme si elles s'étaient attachées à ses pas et avaient filé avec elle.

Je ferme les yeux. Ses mots crépitent doucement dans mon esprit, j'entends encore sa voix. C'est doux et amer à la fois, un peu douloureux et agréable aussi. Tandis que nous parlions, c'était comme si je l'avais toujours connue, comme si nous étions instinctivement proches. Je me mordille les lèvres. Est-ce que je n'aurais pas dû la raccompagner, au moins ? Après le voyage qu'elle a fait pour venir me voir...

– Extinction, dis-je à haute voix.

Le décor s'efface, et je me retrouve au milieu de la salle nue. Je n'ai plus envie de fête foraine. C'est comme s'il manquait quelque chose, maintenant qu'Esther s'en est allée. Alors je me relève, marchant vers la porte. Dans mon dos, les lumières commencent à décroître, créant un éventail d'ombres qui s'étirent devant mes pieds. Je regagne le couloir. Un point blanc au sol attire aussitôt mon regard.

C'est un carré de papier griffonné. Je me penche pour le ramasser et souris jusqu'aux oreilles.

Il n'y a pas grand-chose, dessus : un smiley, un prénom et un numéro de téléphone. Mais ce presque rien suffit à chasser tout sentiment de solitude. Je manipule mon bracelet connecté. Il me faut quelques secondes pour enregistrer le numéro d'Esther. Le message part ensuite. Lui aussi est plutôt simple : *Merci*.

46

Le plus grand secret de la Maison Edelweiss se situe loin des yeux des curieux. Il faut se perdre dans ses sous-sols, puis pousser les portes épaisses d'une salle réfrigérée pour le découvrir : c'est là, dans de gros serveurs ronronnants, que vivent et dorment les deux cent cinquante reflets de la Maison. « La plus belle invention de mon père, commente Petro Edelweiss. Une IA capable de gérer l'ensemble de nos reflets... Il a passé sa vie à l'améliorer, encore et encore. (Il sourit.) Mon fils l'appelle la Ruche. Quand il était enfant, il imaginait les reflets comme des centaines d'abeilles virtuelles. C'est une belle image, non ? »

(Extrait de l'article de Daphné Maris, paru dans le magazine *Regards Modernes*.)

Le silence a envahi l'atelier, nous isolant du monde comme une chape protectrice. Depuis combien de temps sommes-nous enfermés là, papa et moi ? Je n'en ai plus la moindre idée.

Assis à même le sol, je fixe la pile d'enveloppes bleues qui repose devant moi. J'ai relu les lettres de Violette tant de fois que je pourrais désormais réciter chacune d'elles de mémoire. C'est un drôle de chemin qu'elles dessinent, long de plusieurs mois, plus sinueux que le cours du fleuve qui coule au milieu de la ville. D'abord la découverte de l'autre, notre curiosité mutuelle... Puis, après la coupure d'octobre, une complicité de plus en plus étroite.

Je relève les yeux. Mon regard s'arrête sur le tableau de Böcklin. Ma détermination se renforce encore. Je vais façonner le plus beau des reflets pour Violette.

Je vais la ramener de l'île des morts.

Je n'ai pas eu besoin de réfléchir longtemps avant de me décider : après tout, je m'appelle Daniel Edelweiss et je vis dans une Maison de départ. C'est un peu mon destin.

Évidemment, je ne pourrais pas le faire seul – j'ai beau m'être bien débrouillé lors de la création de mon décor, la tâche qui m'attend cette fois est d'une tout autre ampleur. Mais mon père m'aidera. Sur sa table de travail s'entassent déjà des dizaines de croquis tracés par mes soins. Je crois qu'il s'attendait à ma demande, car il a accepté sur-le-champ. Le travail sera long : je n'ai pas de vidéo, très peu de photos. Je n'ai que ma mémoire, en fait, et tout ce que les lettres de Violette m'ont appris d'elle. Peu importe, cela suffira.

Une ébauche de silhouette tourne dans le cylindre de projection. Il n'y a pas encore de chair, rien d'autre qu'un lacis de lignes blanches. Mon regard s'y attache un instant, puis glisse jusqu'à mon père. Il est penché sur son écran, les yeux plissés par la concentration. Paradoxalement, je suis heureux de passer du temps avec lui. Je ne lui en veux plus, je crois : la perte de Violette a effacé tous les ressentiments inutiles. J'ai l'impression, aussi, de mieux le comprendre.

– Est-ce que tu as éprouvé la même chose quand maman est morte ? je murmure.

Il s'interrompt, tourne lentement la tête vers moi. Son visage est crispé en un masque douloureux.

– J'ai créé son reflet pour toi, Dan, se contente-t-il de répondre.

Ma grand-mère, ma mère, Mona, Violette... Il y a comme un schéma caché derrière toutes ces disparitions. Peut-être existe-t-il une malédiction qui plane sur la lignée des Edelweiss. Peut-être sommes-nous condamnés à perdre celles que nous aimons, les unes après les autres ?

La douleur me traverse chaque fois que je formule cette pensée. Mais si elle ne s'adoucit pas, elle devient familière, et je ne la repousse plus, au contraire : je veux en faire un matériau, je veux creuser en elle, jusqu'à ce que les motifs dissimulés dans ses profondeurs affleurent.

Car c'est ce que nous sommes, nous, les Edelweiss.

Des sculpteurs de chagrin.

– Au boulot, d'accord ? ajoute mon père.

Oui, au boulot.

C'est l'unique moyen que nous ayons trouvé pour ne pas sombrer.

RETROUVAILLES

47

Les secondes s'écoulent avec une lenteur désespérante. Je consulte nerveusement mon bracelet. Esther n'a que cinq minutes de retard, mais j'ai l'impression d'attendre là, assis sur le perron, depuis une éternité. Un curieux mélange de sentiments m'emplit : de l'impatience, de la crainte, de la fierté aussi, que je m'efforce de repousser... Je saute sur mes pieds pour me dégourdir, souffle une longue volute de vapeur qui se défait sous les doigts du vent. Au-dessus de la Maison, le ciel s'assombrit plus lentement qu'à son habitude. Je n'ai pas vu le mois de mars arriver. Il est bien là, pourtant, et quelques minuscules bourgeons pointent sur les branches nues des arbres. Une douce mélancolie m'envahit à cette pensée. Dire que, un an plus tôt, je m'aventurais pour la première fois hors de la Maison... Je ne me doutais pas que ma vie était sur le point de basculer. Une impulsion folle, quelques pas à l'extérieur… et tout était bouleversé.

Enfin, Esther apparaît sous l'arche en pierre de l'entrée. Elle fait quelques pas, s'interrompt un instant, hésitante. Puis elle me repère. Je lui adresse un grand signe de la main. Elle se remet en marche et, quelques secondes plus tard, nous nous retrouvons face à face. Un drôle de silence ponctue nos retrouvailles, tandis que nous nous observons à la dérobée.

Esther a changé depuis la dernière fois que je l'ai vue, d'une façon qui est à la fois imperceptible et évidente. Elle a coupé sa longue chevelure châtain, optant pour un carré qui met en valeur ses pommettes. Plus étonnant : le masque maussade qui figeait ses traits a disparu, révélant une expression plus… sereine ? Je me surprends à détailler la courbe de sa bouche, l'amande de ses yeux. Nos regards se croisent. Dans le sien, je décèle une pointe de culpabilité. Elle hausse aussitôt les épaules, comme pour s'excuser. Mais s'excuser de quoi ? D'avoir survécu à la mort de sa sœur jumelle ?

– Ça te va très bien, dis-je en désignant ses cheveux.

Elle accepte le compliment avec un sourire gêné.

– Je crois que j'avais besoin de me sentir différente. Tout le monde ne le comprend pas. Mes parents, je veux dire. Et les autres forains…

Elle a énoncé ça avec un petit geste de la main pour signifier qu'elle s'en fiche, mais je vois bien que ce n'est pas le cas. Je l'attrape par le bras.

– Un jour, ils ouvriront les yeux. (Elle sourit.) Allez, viens ! J'ai plein de choses à te montrer.

Esther me suit à l'intérieur. Nous nous arrêtons un instant au comptoir d'accueil, le temps de récupérer le matériel nécessaire. Elle a du mal à ajuster ses lentilles, et je finis par lui venir en aide – elle ne bronche pas tandis que je les place délicatement sur ses pupilles. Cette intimité que j'avais devinée entre nous, lors de sa précédente visite, s'est à nouveau imposée. Elle efface la gêne, arrête nos pensées, fluidifie tout.

Il faut dire que les centaines de SMS échangés ces deux derniers mois nous ont vraiment rapprochés. Avec Violette, on s'écrivait ; avec Esther, c'est une ribambelle ininterrompue de messages. Elle m'a soutenu dans mes moments de blues. Sans elle, sans sa présence... eh bien, je ne sais pas si je serais arrivé à créer le reflet de Violette. Je ne lui ai pas parlé de mon projet, espérant lui en faire la surprise. Un frisson d'impatience me parcourt. J'ai tellement hâte !

– Quel est le programme ? demande-t-elle comme je l'entraîne dans les profondeurs de la Maison.

– Visite de mondes virtuels, je réplique.

Nous remontons le couloir jusqu'au bout, et je m'arrête devant le dernier salon de réception – l'amphithéâtre. Esther pénètre dans l'immense salle blanche, balayant des yeux les gradins disposés en demi-cercle. Je me rapproche de l'écran de contrôle.

– Viens par ici, dis-je. Je vais te montrer comment ça fonctionne. Tous les décors disponibles sont là, dans cette liste. Choisis simplement celui qui t'intéresse et double-clique dessus pour le lancer.

Esther obéit. Elle pose un doigt sur la surface tactile, commence à faire défiler la liste des décors. Ses yeux s'agrandissent.

– Sérieusement ? s'exclame-t-elle. Tout ça ?

– Si tu ne sais pas par quoi commencer, tu peux toujours laisser le hasard s'en charger.

– Excellente idée, acquiesce Esther en cliquant sur la première ligne venue.

Une rumeur s'élève aussitôt. Des dizaines d'éclats de voix qui se mêlent en un bruissement sonore, le tintement aigu de la sonnette d'une bicyclette, des aboiements, le grondement léger des moteurs qui redémarrent. En même temps, la luminosité de la salle se modifie, et le décor se matérialise autour de nous. Nous sommes dans une cité fourmillante de vie. Les silhouettes des gratte-ciel barrent l'horizon, tours scintillantes de verre et de métal. Taxis et vélos s'entrecroisent sur l'avenue qui nous fait face, les piétons filent sur les trottoirs en un flot pépiant, agité. On distingue des trouées de verdure entre les immeubles. Esther se détache de l'écran de contrôle, l'air ébahi. Ses yeux vont et viennent. Dans notre dos, les gradins ont laissé place à une volée d'escaliers, escortant les visiteurs jusqu'à l'entrée d'un bâtiment monumental – une bibliothèque, d'après l'inscription gravée sur le fronton de pierre. Elle avance dans cette direction, avant de poser un pied incertain sur la première marche. Puis elle grimpe au sommet des gradins, se retourne et embrasse le paysage d'un long regard.

– Incroyable, murmure-t-elle.

– Tentes-en un autre !

Elle acquiesce avec enthousiasme.

Quelques secondes plus tard, la rumeur de la mégapole s'estompe, remplacée par le bruit du ressac et le cri des mouettes. Derrière nous, les escaliers de la bibliothèque se sont transformés en ruines blanchies par le soleil. Des graminées tapies dans les replis de la pierre balancent leur tête duveteuse dans le vent. Plus loin, la mer vient lécher une longue bande de sable. Le soleil donne à la scène une nuance ambrée.

– Quel est cet endroit ? demande Esther, émerveillée.

– Je crois qu'il a été inspiré par les antiques ruines romaines de Césarée. Mais il y a sans doute une bonne part de licence créative.

– C'est magnifique. Nous devrions avoir des attractions de ce genre, plutôt que de rester avec nos vieux manèges...

Elle contemple encore le paysage, tandis que je l'observe, *elle*. Le mouvement lent de la mer semble se refléter dans ses yeux gris. Elle sélectionne un nouveau décor. Le ciel s'efface au-dessus de nos têtes, des murs lambrissés de bois clair se dressent devant nous, percés de baies vitrées qui ouvrent sur les flancs enneigés d'une montagne. Un feu flambe dans la cheminée, avec de paisibles crépitements. Les doigts d'Esther glissent à nouveau sur l'écran de contrôle. Elle accélère le mouvement. Les décors se mettent à défiler – des chambres, des salons ensoleillés, un pré où broutent de petits chevaux noirs, la terrasse d'un restaurant italien, une tonnelle débordant de fleurs, qui nous protège d'une averse soudaine, et même un aquarium géant. Esther pousse un sifflement admiratif lorsque le sol, sous ses pieds, se change en une paroi de verre et qu'une multitude de poissons colorés apparaissent en dessous. Puis elle recommence, grisée par ce voyage improbable. Tout à coup, un étrange vertige s'empare de moi. J'ai l'impression que nous traversons une série de mondes parallèles, que nous filons à toute allure, et ce mouvement continu finit par me faire vaciller. Un contact doux dans ma paume. Je baisse les yeux : sans réfléchir, j'ai attrapé la main d'Esther. Ses doigts tressaillent sous les miens, mais elle ne les retire pas. Elle se tourne vers moi, les joues rosies par l'excitation.

– Vos décors sont très beaux, mais ce n'est pas tout à fait ce que tu m'avais promis. Montre-moi ce qu'est un reflet, dit-elle. Présente-moi tes amis.

– À ta guise.

Je les appelle à haute voix, comme s'ils attendaient mon signal, cachés quelque part. Et c'est un peu ça : une porte se découpe dans le décor, s'ouvrant sur leurs deux silhouettes. Elliott entre le premier – enfin, disons plutôt qu'il se précipite à l'intérieur. Puis il se plante devant moi, oscillant entre curiosité et méfiance, pour lancer d'un ton accusateur :

– Je croyais que tu ne nous appellerais plus jamais !

– Du calme, tempère Matthias, dans son dos.

Le jeune homme s'avance avec son habituelle nonchalance, les mains dans les poches. Je sens qu'il m'adresse une question muette, à laquelle je réponds d'un haussement d'épaules. Depuis que Mona a disparu, j'ai tout fait pour éviter mes vieux amis. Nous formions un groupe, depuis toujours... Et les groupes ne devraient jamais être dissociés, non ? Alors je me suis persuadé que les revoir serait douloureux. Je découvre que je n'avais pas tort, car ma gorge se noue. Au même moment, Elliott détourne mon attention. Il vient de remarquer Esther et il s'approche d'elle d'un pas prudent, la détaillant comme s'il s'agissait d'un animal bizarre.

– Matthias, Elliott, je vous présente Esther. Je lui fais découvrir la Maison.

– Salut, fait le premier.

Le plus jeune reste silencieux, apparemment absorbé dans sa contemplation. De son côté, Esther esquisse un sourire émerveillé. Elle observe Elliott, ses joues rondes et son nez constellé de taches de rousseur, son perpétuel épi. Soudain, elle tend la main. Je bondis, attrapant son poignet juste à temps, et elle se tourne vers moi, les yeux arrondis de surprise.

– Il ne faut pas chercher à toucher les reflets, je lui explique. C'est la première règle de la Maison.

– Pourquoi ?

– Parce que ça romprait le charme.

Esther lève ses doigts jusqu'à son visage, les plie et les déplie longuement. Elle paraît songeuse.

– L'illusion, dit-elle enfin.

– Hein ?

– Ça romprait l'illusion. Pas le charme.

J'ouvre la bouche pour répondre, mais Elliott me devance.

– Ah, j'ai compris ! s'exclame-t-il, trépignant d'excitation. C'est sa sœur, pas vrai ? Elle lui ressemble trop !

Un silence de plomb s'abat sur nous. Matthias fronce les sourcils, je pivote vers Esther, elle blêmit.

– Qu'est-ce que ça veut dire ? murmure-t-elle.

Étrangler Elliott me traverse l'esprit. Ce n'est pas comme ça que je voulais annoncer ma surprise à Esther, pas du tout comme ça... Mais je n'ai plus le choix, maintenant.

– Je voulais te montrer quelque chose, dis-je. Est-ce que tu es prête ?

Elle ne répond pas. Elle ne bouge même pas.

Alors je prononce le prénom de Violette à haute voix. La porte s'ouvre une nouvelle fois.

48

J'ai travaillé sur le reflet de Violette pendant des jours, des nuits, des semaines ; j'ai accumulé les essais et les croquis ; je me suis écroulé plusieurs fois à ses pieds, assommé de fatigue, dans l'atelier de mon père.

Pourtant, je me mets à trembler en la voyant apparaître. Elle reste immobile, appuyée contre l'encadrement de la porte. Ses cheveux sont noués en un chignon lâche, d'où s'échappent des mèches blondes qui viennent caresser ses joues et sa nuque gracile. Elle porte une robe bleu ciel, celle de notre rencontre. Elle tourne la tête vers moi, m'adresse un sourire éclatant. Puis son regard se pose sur Esther.

– Salut, sœurette, dit-elle.

Et sa voix agit comme un charme puissant. Je jette un œil en direction d'Esther, la vois vaciller en même temps que moi. Un frisson d'euphorie partagé parcourt nos veines, je le sens. Esther ouvre la bouche pour parler, mais sa voix lui échappe, elle bat nerveusement des cils.

– Comment... comment ? articule-t-elle.

– J'ai commencé à y travailler juste après ta visite, je lui réponds. Je n'avais pas grand-chose pour nourrir la modélisation, à peine quelques photos, mais tellement de souvenirs ! Et toutes ses lettres. Si tu savais comme ça a été dur de garder ce secret jusqu'à aujourd'hui, j'ajoute dans un murmure. J'ai cru perdre pied tant de fois... C'est grâce à toi que j'ai continué. Grâce à toi... et pour toi.

Les yeux d'Esther s'étrécissent, se transformant en un mince faisceau qui se fixe sur la silhouette de Violette.

– Alors ? fait celle-ci. Je suis plutôt pas mal, non ? Dan a fait du bon boulot !

Je dois avoir un sourire extatique. Dans mon dos, Elliott s'est mis à applaudir joyeusement, et Violette fait un pas en avant, dans un mouvement aussi vif que gracieux. Au même moment, Esther fait un pas en arrière.

– Comment as-tu osé ? chuchote-t-elle.

Je ne réagis pas tout de suite, persuadé d'avoir mal entendu. Puis je me force à quitter Violette des yeux pour revenir à Esther. Elle me regarde, les bras collés contre son corps, les poings serrés pour contenir les tremblements qui la secouent. Ses traits sont figés dans une expression d'horreur.

– Quoi ?

Elle ne répond pas, se contente de secouer la tête. Dans cette expression, il y a quelque chose qui me brise le cœur. Je ne comprends pas ce qui se passe, oh non, je ne comprends rien ! Esther me lance un dernier regard.

Et elle fait volte-face, me plantant là.

49

La porte du salon se referme derrière Esther avec un claquement brutal. J'entends ses pas résonner dans le couloir. Elle est en train de s'enfuir ! Le bruit s'éloigne, s'éteint tout à fait. Je n'ai pas bougé. La stupéfaction a figé mes muscles et mes pensées, et il faut que je secoue la tête pour me forcer à réagir. J'avais imaginé ce moment-là tant de fois. Les retrouvailles inespérées des jumelles ; la seconde de flottement, l'incertitude ; puis l'instant où le regard d'Esther se remplirait de joie jusqu'à en déborder, où le chagrin refluerait pour de bon, chassé par une force irrésistible.

Je l'avais tant imaginé qu'il me semblait déjà réel.

Comment les choses ont-elles pu déraper ainsi ? Je me sens si... désemparé, soudain.

– Est-ce que j'ai fait quelque chose de mal ?

Personne ne me répond.

Je tourne la tête en direction des autres. Elliott semble ailleurs, Matthias secoue la tête d'un air désolé – lui non plus n'y comprend rien. Violette, elle, observe calmement la porte, comme si elle était certaine qu'Esther allait faire demi-tour et réapparaître. Mais ça n'arrivera pas, j'en suis convaincu. Je revois son expression horrifiée, ses mains tremblantes… L'écho de sa voix résonne à mes oreilles. *Comment as-tu osé ?*

Mais osé quoi ?

Je respire un bon coup pour chasser la sidération et le goût de catastrophe qui montent en moi. Puis je demande :

– Elle est partie ?

– Elle vient de quitter la Maison, me répond Matthias. Elle courait.

Mon cœur se serre, la question revient, obsédante. *Qu'est-ce que j'ai fait ?* Il n'y a qu'un moyen de le savoir. Je me précipite hors du salon.

Il faut que je rattrape Esther !

Je remonte le couloir à toute vitesse avant de m'élancer vers l'extérieur, ignorant le regard intrigué de Cali, derrière le comptoir d'accueil, ainsi que les protestations des visiteurs que je bouscule sur le perron de la Maison. Le sentiment d'urgence est trop fort, à présent, pour que je puisse penser à autre chose qu'à Esther. Je franchis le portail en trombe, je jaillis sur le trottoir, m'arrête le temps de reprendre mon souffle et de balayer les environs du regard. Une voiture dépose un couple à l'entrée de la Maison Edelweiss. Un peu plus loin, quelques passants disparaissent au coin de la rue. Je cherche la silhouette d'Esther parmi eux… En vain. Elle n'est nulle part en vue.

Il ne me reste qu'une option. D'un doigt, j'effleure l'écran de mon bracelet connecté, dictant un rapide message.

Où es-tu ?

J'envoie.

Une seconde plus tard, un point vert s'allume à côté du nom d'Esther. Soulagement. Elle est en ligne ! Un symbole caractéristique s'affiche alors sous mon message.

Lu. Et le point s'éteint.

Je m'assois sur le rebord du trottoir, découragé. Toutes ces semaines de travail, ces nuits dans l'atelier, concentré sur la silhouette de Violette… Tout ça pour *ça* ? Oh, bien sûr, le bonheur de l'avoir ressuscitée est toujours là. Mais je ne pensais pas qu'en retrouvant l'une des jumelles, je perdrais l'autre. Et, bizarrement, c'est beaucoup plus douloureux que je ne l'aurais cru.

Je reste un moment ainsi, ruminant ma déception et enchaînant les questions sans réponse, jusqu'à ce que mes muscles engourdis se rappellent à moi. Je n'ai aucune envie de rentrer, pourtant, alors je laisse mes pas dévier vers le parc. Quelques minutes plus tard, sans même l'avoir voulu, je me retrouve au pied du vieux cèdre. Au-dessus de moi, les branches tortueuses découpent le ciel en une dentelle pâle. Je me hisse sur la plus basse, puis je commence à grimper. Ma respiration siffle un peu lorsque j'atteins la cime – je suis monté trop vite, comme si je cherchais à échapper à quelque chose. J'observe sans la voir la ligne d'horizon. Il n'y a plus de point d'accroche, à présent que la grande roue n'existe plus.

Voilà, je me sens triste, maintenant.

– Hé !

Je sursaute. La voix est venue d'en bas, rompant le silence. Je me penche un peu... et je découvre Esther, la tête levée dans ma direction, une main placée en visière sur le front.

Elle est revenue !

Je n'en crois pas mes yeux. Et comment a-t-elle su où me trouver ? Comme si elle avait lu dans mes pensées, elle fait alors une déclaration mystérieuse :

– Je me doutais que tu serais ici.

Trop étonné de son retour, je ne relève même pas.

– Attends, je descends...

Mais Esther a déjà entamé l'ascension – et, niveau agilité, elle n'a rien à m'envier, car la voilà déjà au sommet. Elle hausse les épaules en remarquant ma surprise.

– Tous les forains apprennent à escalader la grande roue quand ils sont enfants. C'est une sorte de jeu, pour nous.

Elle s'est assise à califourchon sur une branche. Ses yeux sont rouges et gonflés. Elle a pleuré. Elle n'a pas l'intention de me le cacher, d'ailleurs, car elle soutient mon regard sans ciller un instant. Une bouffée d'admiration m'envahit. Esther ne cherche pas à se dérober. Elle assume sa tristesse, elle s'en drape comme d'une cape, et j'ai l'impression, soudain, d'être sur le point de comprendre sa réaction. Mais je la perds avant d'avoir réussi à vraiment mettre le doigt dessus.

– Je suis désolée pour tout à l'heure, reprend-elle. J'ai été… dépassée. J'ai voulu m'enfuir, puis je me suis dit que tu méritais des explications. Seulement, si tu veux les entendre, il faudra que tu me promettes de me laisser aller jusqu'au bout.

Je me contente d'acquiescer.

50

– Il faut d'abord que je te reparle de notre enfance, commence Esther. De ce que grandir avec une sœur telle que Violette signifiait. Sa maladie, c'était une épée de Damoclès suspendue au-dessus de nos deux têtes. Tu refuses de lever les yeux parce que tu ne veux pas la voir et, pourtant, tu ne peux pas l'ignorer. Tu perçois en permanence sa présence, son ombre, son poids. Tu passes ta vie à la craindre... Puis vient le moment où tout s'inverse, sans même que tu t'en rendes compte. Tu réalises que tu en es venue à espérer qu'elle tombe, cette épée... simplement pour mettre fin à l'attente. (Elle m'adresse un sourire triste.) Horrible, hein ? Pourtant, c'est ce que Violette pensait.

Elle s'interrompt, le temps de prendre une inspiration.

– Ça a été incroyablement difficile pour nos parents. Mais pour nous deux, je crois que l'épreuve a été encore pire, car nous n'ignorions rien de nos sentiments respectifs. Nous avions toujours été si proches, capables de lire dans les pensées l'une de l'autre... Les derniers mois, je me suis mise à lui en vouloir de ne pas se battre davantage. Violette était la plus forte, la plus lumineuse de nous deux. Tous ceux qui croisaient son chemin l'aimaient immédiatement, elle n'avait même pas besoin de faire quoi que ce soit, c'était comme ça... Et un tel amour, ça se mérite, non ? Je me disais qu'elle n'avait pas le droit de baisser les bras. En même temps, je savais bien que si nos rôles avaient été inversés, j'aurais lâché prise depuis longtemps. C'est à partir de là que notre proximité s'est retournée contre nous. Quand tu comprends profondément quelqu'un, ça peut être si douloureux... Violette savait que je ne pensais plus qu'à sa mort. Une pensée me hantait : *Comment allais-je bien pouvoir lui survivre ?* De son côté aussi, une question revenait sans cesse. *Pourquoi moi ?* Et dans ces deux mots, je comprenais autre chose. Je comprenais : *Pourquoi moi plutôt que ma sœur ?* La fin a été très dure. J'aurais dû la soutenir, être là pour elle à chaque instant... Mais nous en étions au point où nous ne nous supportions plus.

Le regard d'Esther se perd dans le vide.

– Un matin, en me réveillant, je l'ai trouvée étendue sur son lit, froide et inerte. Ses yeux refusaient de s'ouvrir, son visage était pâle... J'ai compris qu'elle ne respirait plus, et tu sais ce que j'ai ressenti, à cet instant précis ? Du soulagement. Cette fichue épée était enfin tombée. Du soulagement ! répète-t-elle. Tu te rends compte ? Oh, si tu savais comme je m'en veux...

Silence. J'ai l'impression qu'elle attend que je réagisse, mais que pourrais-je dire ? Je ne bouge plus, je me sens si glacé que je dois me concentrer pour continuer à respirer. Esther soupire.

– Ensuite, le chagrin est venu et il a tout emporté. Violette était une part de moi-même. C'était ma jumelle, mon double inversé... Elle avait toujours été *là*, dans un coin de mon esprit. J'ai été forcée d'apprendre à vivre sans elle, à être en quelque sorte incomplète. Ça a été dur. Et c'est loin d'être terminé, j'imagine. Mais peu à peu, la souffrance qui occultait tout le reste a perdu en consistance. J'ai commencé à percevoir à nouveau les couleurs des choses, leurs contours... Je me suis dit que je devais faire un effort, pour Violette. Bref, je faisais mon deuil. Jusqu'à ce que tu m'invites ici, ajoute-t-elle. Je suis venue sans me douter une seconde de ce qui m'attendait. Je pensais que tu me ferais visiter la Maison, j'étais même impatiente de découvrir enfin à quoi ressemblaient ces fameux reflets ! Mais me retrouver face à un double virtuel de ma sœur...

Sa voix se met à trembler. Un frisson glisse le long de mon dos.

– J'ai vu Violette s'étioler pendant des mois. Je l'ai vue morte sur son lit. Je l'ai vue reposer dans son cercueil blanc, avec un air si paisible qu'il semblait irréel. Puis je ne l'ai plus vue qu'en rêve et en photo, et j'ai appris à accepter sa disparition. Alors, quand ce reflet est apparu face à moi, c'était si… dérangeant. Tu comprends, Dan ? C'était comme si je retournais en arrière, comme si je me retrouvais face à un fantôme. Et je ne veux pas penser à ma sœur comme à un fantôme !

Je balance mes pieds dans le vide, hébété. Esther me fixe, maintenant, mais j'ai du mal à soutenir son regard. Je me sens si stupide ! Stupide et égoïste. Ai-je vraiment pensé à elle, un seul instant ? Les gens viennent à la Maison Edelweiss parce qu'ils en éprouvent le besoin. Esther, elle, n'avait rien demandé, et je l'ai blessée.

– Je suis désolé, je murmure. Je n'ai pas réfléchi…

– Je sais, répond Esther. C'est pour ça que je suis revenue. Je devais t'expliquer… Te laisser au moins une chance de comprendre.

Je tends la main vers elle. Elle hésite un peu avant de m'imiter. Nos doigts s'effleurent.

– Pourquoi as-tu fait cela, Dan ? dit-elle. Pourquoi as-tu créé un reflet de Violette ?

– Parce qu'elle me manquait.

Les mots sortent d'eux-mêmes, et d'autres bousculent mes pensées. Parce que je voulais revoir son sourire, parce que je n'imaginais pas ma vie sans elle, parce que l'on ne m'avait pas accordé assez de temps à ses côtés... Parce que je le *pouvais*.

– Et maintenant ? reprend Esther. Est-ce que tu te sens mieux ? Est-ce que tu es moins triste ?

– Je... je crois.

Pourquoi ai-je bredouillé ? Bien sûr que je me sens mieux. Mais Esther secoue la tête.

– Quoi ? je m'exclame. Toi non plus, tu ne crois pas aux reflets, c'est ça ?

– J'ai grandi au *Palais des Glaces*. J'ai l'habitude des mirages.

Nouvel instant de silence.

– Tu ne comprends pas, n'est-ce pas ? reprend-elle. Alors je vais te raconter la suite de l'histoire, Dan, pour te prouver que ce reflet-là n'est pas celui de Violette. Mais, s'il te plaît, ajoute-t-elle d'une voix blanche, souviens-toi que tu m'as promis d'écouter jusqu'au bout.

Ça, c'est un peu inquiétant.

– Je t'ai dit que Violette avait été heureuse de recevoir ta première lettre. Ce n'était qu'en partie vrai.

J'attends la suite, les sourcils froncés. Face à moi, Esther semble déchirée. Elle retire sa main de la mienne – pas assez vite, cependant, pour que je ne sente pas ses tremblements.

– À ce moment-là, l'état de ma sœur s'était brutalement dégradé. Elle ne quittait plus son lit. Quand elle a eu de tes nouvelles, elle a été surprise – dans le bon sens, je veux dire, car pendant quelques précieux instants, tu la distrayais de ses souffrances. Seulement, elle n'avait pas assez de forces pour te répondre. Elle m'a demandé de le faire à sa place, et j'ai accepté. Ce n'était pas grand-chose, je ne pouvais pas le lui refuser, tu comprends ? Mais lorsque ta deuxième lettre est arrivée, Violette avait perdu toute sa curiosité. Ce genre de chose, ça ne l'intéressait plus... Elle n'a même pas voulu lire ce que tu lui avais écrit, ajoute-t-elle dans un souffle.

– Je ne suis pas sûr de comprendre. Elle m'a pourtant répondu !

Les yeux d'Esther se brouillent de larmes. Elle secoue lentement la tête.

Il me faut une éternité pour saisir ce que cela signifie. Tout à coup, je réalise. Je n'y crois d'abord pas, puis une bulle d'air se coince dans ma gorge, enflant jusqu'à me couper la respiration. Je vais étouffer. Un mot parvient à passer, un seul :

– Toi ?

– Je suis désolée, dit-elle.

– Mais... mais... je bafouille. Pourquoi ?

– Honnêtement ? Je n'en sais rien. Après la première lettre, ça me semblait tellement simple de continuer... Presque normal. Je me disais que Violette finirait par reprendre des forces et que je n'aurais qu'à lui repasser le flambeau... Je me disais que je faisais ça pour elle. Mais plus je te découvrais et plus les frontières se brouillaient. Je t'écrivais car j'en éprouvais le besoin, c'était tout. Puis Violette est morte fin septembre. Je n'avais pas le cœur de continuer, alors j'ai brutalement arrêté de t'écrire. En même temps, je me promettais de ne plus jamais repenser à toi : tu appartenais à Violette, au passé... Et ta lettre de la Toussaint est arrivée. Tu y parlais de la disparition de ton amie Mona. Ça m'a bouleversée, avoue Esther avec un pauvre sourire. Car un mois plus tôt, en me réveillant, j'avais trouvé Violette morte dans son lit. Ta douleur était comme un reflet de la mienne. Je ne pouvais rien faire d'autre qu'y répondre... Mais dans ta dernière lettre, tu m'as rappelé la venue de la fête foraine dans ta ville, en mars. La supercherie ne pouvait vraiment plus durer. Il fallait que tout cela cesse...

Encore un choc.

Celui-ci me fait l'effet d'un coup de marteau balancé dans un mur fissuré. Les lézardes s'agrandissent, filent jusqu'au sol, et des blocs de pierre se détachent, s'écrasant à terre avec un grand *boum*. Je regarde Esther, horrifié. Je devrais essayer de la comprendre, je devrais entendre sa douleur... Mais, sonné par ces révélations, je n'y arrive pas. Trop de pensées s'entrechoquent dans mon esprit. Violette qui était morte, et moi qui continuais à lui écrire, encore et encore, qui m'impatientais bêtement devant la boîte aux lettres de la Maison...

Violette qui n'était plus Violette, qui ne l'avait même jamais été.

Violette qui était Esther.

Violette qui ne m'avait jamais écrit un mot.

Le sang bat à mes tempes. Tous ces mensonges, ces faux-semblants, ces reflets troubles dans des miroirs déformants.

Je n'en peux plus.

– Désolé, je murmure.

Et je regagne le sol à toute allure, abandonnant Esther dans les branches du cèdre.

51

Sous mon crâne, les aveux d'Esther résonnent en un écho furieux tandis que je remonte le couloir principal de la Maison. Les visages des jumelles se superposent, leurs voix s'enchevêtrent... Tout se mélange.

Un visiteur croise mon chemin, qui sort tout juste d'un salon. Une furieuse envie de contempler Violette m'envahit alors. J'envisage de m'enfermer dans la pièce libre pour l'appeler. Mais à quoi bon ? Qu'est-ce que j'espère, au juste ? Me rassurer devant la perfection de son reflet, espérer qu'il suffira à me faire oublier le mensonge d'Esther ?

Je me revois assis dans l'atelier de mon père, une petite pile d'enveloppes bleues à mes pieds. Ces lettres, je les ai lues et relues, m'appuyant dessus comme sur des béquilles tandis que je construisais le reflet de Violette... De Violette ? Non !

De Violette *et* d'Esther.

L'horreur me fait vaciller tandis que je réalise ce que j'ai fait. J'ai créé une chimère, une combinaison de deux êtres ! Ma tête tourne, soudain, et je dois m'adosser au mur du couloir le temps de reprendre mes esprits. Je ne me suis jamais senti aussi perdu de ma vie.

Il faut que je parle à quelqu'un de tout cela.

Je finis par pousser la porte de ma chambre.

– Maman ?

Les battements de mon cœur s'apaisent à l'instant où elle lève son visage vers le mien. Elle semble si tranquille, comme si rien ne pouvait la troubler. N'est-ce pas le cas, d'ailleurs ? Je ne l'ai jamais vue en colère ni triste. Peut-être inquiète, quelquefois, mais sans plus.

– Que se passe-t-il ? demande-t-elle.

– Je... je peux te raconter quelque chose ?

– Bien sûr, chéri. Approche.

Elle referme le livre qu'elle était en train de lire, lisse la couverture du plat de la main, puis se penche vers moi. Ses cheveux glissent de ses épaules. Je m'assieds au pied de son fauteuil. Il me faut quelques secondes pour remettre de l'ordre dans mes pensées. Puis je me lance. Elle m'écoute en silence, jusqu'au bout. Je lui décris Esther, sa venue à la Maison la première fois, puis sa réaction lorsqu'elle a vu entrer le reflet de Violette dans l'amphithéâtre.

C'est étrange, en parler me fait du bien : comme si énoncer les faits à haute voix m'aidait à m'en détacher et à mieux les comprendre. Mais je ne peux m'empêcher d'éprouver un violent ressentiment en arrivant aux aveux d'Esther. Oh, elle n'est pas la seule à m'avoir menti ces derniers mois ! Mon propre père et ma gouvernante se sont aussi illustrés dans ce jeu-là. Mais le poids de ce mensonge écrase tous les autres.

– Je ne sais pas si je pourrai lui pardonner, je murmure.

Ma mère hausse les épaules en soupirant légèrement.

– Seul le temps en sera juge, dit-elle.

Je fronce les sourcils. Maman a l'habitude de prononcer ce genre de phrases, oscillant entre dicton et message sibyllin. Cette fois, pourtant, ses derniers mots résonnent d'une manière bizarre. Ça me semble... faux.

– À ton avis, pourquoi Esther a-t-elle agi comme ça ? je reprends.

– Je l'ignore, Dan. Qu'en penses-tu, toi ?

Le voile se déchire brusquement. Je me relève et m'écarte d'un mètre. Face à moi, le reflet de ma mère ne bronche pas, continuant de m'adresser le même sourire tendre. Comment ai-je pu ne pas m'en rendre compte plus tôt ?

– Tu n'émets jamais la moindre opinion. Tu te contentes de me retourner mes questions sans y répondre...

L'image d'Esther se fraie un chemin dans mon esprit. Je repense à son mouvement de recul, face à une Violette fantômatique qu'elle ne pouvait pas reconnaître – et pour cause, puisque son reflet n'avait rien à voir avec la jumelle qui avait grandi à ses côtés...

Qui ai-je devant moi ?

La question s'impose à moi.

– Qui ai-je devant moi ? je répète à haute voix.

Les beaux yeux de ma mère se froncent. Elle ne comprend pas, alors elle fait la seule chose qui soit à sa portée : chercher, dans l'immense répertoire de réactions et de réponses qui constitue le cerveau de la Ruche, celle qui pourrait correspondre. Un nouveau souvenir me vient, celui du jour où j'ai entendu la mère d'Elliott utiliser les mêmes mots que ceux de notre rituel du soir. « Je t'aime, mon cœur. Jusqu'au ciel et aux étoiles. » J'avais eu l'impression qu'elle me volait quelque chose... Mais si c'était l'inverse ? La Ruche écoute tout, elle enregistre tout. Je me détourne avant que ma mère ait eu le temps de trouver une réponse, me précipitant hors de ma chambre. Une sensation de chaleur me submerge. Je ne peux pas rester là, je dois m'en aller, je dois...

– Daniel ?

Quelqu'un se tient au milieu du couloir. Je cligne des paupières, désactivant aussitôt mes lentilles 3D. Mais la silhouette ne s'efface pas, au contraire, elle avance vers moi, gagne encore en consistance. Une irrépressible envie de pleurer m'envahit lorsque je la reconnais.

– Mon Dieu, que se passe-t-il ? s'exclame Mme Elia d'une voix affolée. Vous avez une mine affreuse !

– Qui ai-je devant moi ?

Rien d'autre ne me vient en tête. Elle ne se démonte pas, m'attrape par le bras pour m'attirer à elle et m'examiner de plus près, puis elle répond :

– Voyons, Daniel, vous le savez très bien. Votre vieille gouvernante acariâtre…

Et une bulle de soulagement m'enveloppe soudain, m'arrachant à la vague de panique qui menaçait de m'emporter. Sans réfléchir, je me laisse glisser entre ses bras.

– Seriez-vous prête à me dire la vérité ? je demande dans un murmure étouffé.

– Cela fait longtemps que j'attends cette question. Mais êtes-vous prêt à l'entendre, Daniel ?

– Je crois que oui.

Ma voix tremble, mais je suis sûr de moi.

– Venez, continue Mme Elia, m'entraînant à sa suite.

52

Elle me conduit à l'autre bout du couloir, vers une aile de la Maison qui m'est presque inconnue. Là-bas, derrière cette porte blanche, se trouvent les appartements de Mme Elia. Je n'y ai jamais mis les pieds – tout juste ai-je aperçu, de temps à autre, un bout de lit ou le pan d'un rideau fleuri par l'entrebâillement de la porte. Ma gouvernante m'invite à entrer. Je m'exécute solennellement, avec l'impression désagréable de me livrer à une intrusion. Puis Mme Elia repousse le battant dans son dos. Mes yeux s'écarquillent.

Derrière la porte, parfaitement invisible depuis le couloir, il y a un mur recouvert de photos encadrées. Je tourne un regard interrogateur vers Mme Elia, mais elle ne dit rien, alors je m'approche du mur. Un pressentiment me chatouille la nuque tandis que je commence à examiner les clichés. Comme si quelque chose me concernait dans ces images du passé... Je repère un visage qui revient régulièrement, celui d'un petit garçon joufflu, dont les fins cheveux blonds bouclent un peu plus à chaque photo. L'enfant est partout. Tendant les bras à l'objectif, jouant dans l'herbe, se blottissant dans le cou d'une jeune femme radieuse. Celle-ci, d'ailleurs, me semble vaguement familière. Je réfléchis un instant, puis je me fige.

– Hé oui, dit Mme Elia. Je n'ai pas toujours été vieille.

– C'est votre fils ?

Elle opine, si doucement que ma gorge se serre. Je me dépêche de reprendre mon analyse. Mme Elia apparaît sur un grand nombre de photos, en compagnie d'une myriade de gens que je n'ai jamais vus. L'un des clichés la représente le jour de son mariage. Elle pose vêtue d'une longue robe de dentelle blanche, un bouquet de pivoines à la main, au bras d'un homme en costume gris. Tous les deux ont l'air heureux.

– Vous ne m'avez jamais parlé de votre mari, je remarque.

Mme Elia hausse les épaules, le regard vague.

– Nous nous sommes séparés après la mort de notre fils. Il est parti loin d'ici.

C'est alors que je repère une série d'images, isolées dans un coin. Cinq clichés, pris à plusieurs années d'écart, où elle se tient en compagnie d'un autre homme. Tous deux ont l'air proches, comme des frère et sœur. Je fronce les sourcils. Je ne connais pas cet homme, j'en suis certain, mais il me dit quelque chose... J'étudie ses traits, la ligne de sa mâchoire, la forme de ses yeux. Ses cheveux très noirs se mettent à grisonner au fil des photos, ses sourcils ombrageux s'éclaircissent. En cherchant bien, on pourrait peut-être lui trouver une vague ressemblance avec mon père... J'ai énoncé ce raisonnement à voix haute, et Mme Elia sourit. Elle pointe alors un doigt sur un autre cadre, que je n'avais pas encore remarqué. Je me penche sur la photo.

Le déclic se fait enfin.

Pourquoi n'y ai-je pas pensé plus tôt ? Quelqu'un dont ma gouvernante a été proche ; quelqu'un avec qui je partage un lien. Cela ne laisse qu'une seule possibilité.

– Mon grand-père.

– Lui-même, acquiesce Mme Elia avec un sourire tendre. Mon vieil, mon cher ami Édouard... Cette photo a été prise quelques semaines avant sa mort.

– Mais, il... il ne se ressemble pas du tout !

Cette dernière phrase est sortie avec la force d'un cri. Il faut dire que l'homme de la photo n'a rien à voir avec le grand-père Edelweiss que je connais. C'est un vieillard à la mine sombre, tassé dans un fauteuil roulant. Sa peau parcheminée, constellée de taches brunes, est tendue sur son visage osseux, et quelques rares mèches de cheveux subsistent sur son crâne.

– Non, réplique Mme Elia, *le reflet qui porte son nom* ne lui ressemble pas. Édouard et moi nous connaissions depuis toujours, vous savez. Notre amitié s'était nouée bien des années plus tôt, alors que nous étions enfants, et nous ne nous sommes jamais vraiment éloignés l'un de l'autre. Mais nous nous sommes fâchés lorsqu'il a commencé à créer cette affreuse copie de lui. Je souhaitais lui faire comprendre que cela allait à l'encontre de la philosophie de sa Maison, de cette quête de vérité dans laquelle il s'était lancé. Seulement, il était buté. Et aigri. Il détestait ce qu'il était devenu – une loque impotente, disait-il. Il n'est finalement pas parvenu à résister à la tentation. Offrir de soi une image plus flatteuse que la réalité. (Elle pousse un soupir.) Ah, quelle décision navrante !

Je continue à observer la photo, un peu soufflé par cette révélation.

– S'est-il contenté de modifier son apparence ? je demande soudain.

– Que voulez-vous dire, Daniel ?

– Je parle de son caractère. De sa personnalité. Celle du reflet de grand-père Edelweiss correspond-elle à celle de votre ami ?

– Oh non, rétorque aussitôt Mme Elia. Ils ne pourraient pas être plus différents !

Mes épaules s'affaissent. Quelle ironie, n'est-ce pas ? Le fondateur de la Maison Edelweiss, réputée sur le continent tout entier pour sa rigueur et ses doubles virtuels parfaits, a triché sur son propre reflet.

– Édouard était quelqu'un de discret, continue Mme Elia. Il préférait rester en retrait pour écouter, pour observer. Et, en cela, votre père est son digne fils. Il avait aussi beaucoup de mal à s'exprimer en public. Alors, quand je vois cet olibrius tonitruer à qui mieux mieux, en faisant de grands moulinets de bras pour attirer l'attention… comprenez mon agacement ! Cependant, s'il y a un point sur lequel je ne peux pas blâmer Édouard, c'est celui-ci. Au début, son reflet n'était pas si exaspérant. Mais il s'est transformé au fil du temps.

– Comment ça, *il s'est transformé* ?

Elle hausse les épaules.

– J'imagine que la Ruche, comme vous l'appelez, a pris ses aises. Ça fait froid dans le dos quand on y pense, non ? À sa mort, l'Intelligence Artificielle qu'il avait créée s'est incarnée en lui et l'a peu à peu remodelé.

La Ruche.

Tout à coup, je me rappelle pourquoi je suis ici.

– Et ma mère ? je lâche.

À son regard, je comprends que j'ai atteint le bout du chemin que Mme Elia avait imaginé pour moi. Les coins de sa bouche s'affaissent, imprimant un rictus triste sur son visage.

– Vous l'avez connue, j'insiste. Comment était-elle ? Est-ce que son reflet est faussé, lui aussi ?

Elle a fermé les yeux. Son front se plisse, comme si elle mobilisait l'ensemble de ses souvenirs, et lorsqu'elle prend enfin la parole, sa voix me paraît lointaine. Le passé s'est comme intercalé entre nous deux.

– Sa beauté… c'est ce qui me vient d'abord. De ce côté-là, je dois admettre que Petro a réalisé un travail de premier ordre : son reflet en est un double parfait. Mais il y a des détails que même un artiste de sa trempe ne peut reproduire, et ce qui se dégageait de votre mère en faisait partie. Il y avait quelque chose en elle qui était de l'ordre du fragile, de l'enfantin. Une sorte de pureté délicate, qui faisait immédiatement naître en vous un instinct protecteur. (Son regard se trouble un instant, puis elle semble se reprendre.) Mais il ne faut pas se fier aux apparences, n'est-ce pas ? Votre mère n'était pas exactement un ange de douceur. Elle changeait en permanence d'humeur. On aurait cru que deux personnes cohabitaient en elle : l'une riante et chaleureuse ; l'autre capricieuse et colérique, manipulatrice, parfaitement consciente de son charme.

Je me contente de fixer Mme Elia pour qu'elle continue. Curieusement, ses paroles ne me font aucun effet. Le portrait qu'elle me dresse de ma mère est à mille lieues de ce que je connais d'elle : elle pourrait tout aussi bien être en train de parler d'une étrangère.

– Lorsqu'elle est tombée enceinte, ses sautes d'humeur ont empiré. Elle se montrait de plus en plus dure avec votre père. Elle répétait que Petro était une entrave, qu'elle était trop jeune pour s'enfermer dans une vie de famille monotone, qu'elle ne voulait pas être une simple *femme de*. Lui, bien sûr, lui pardonnait toutes ses crises, ajoute Mme Elia en secouant la tête. Il pensait que les choses rentreraient dans l'ordre à votre naissance. Mais cela ne s'est pas passé ainsi. Elle s'est finalement convaincue que ce quotidien n'était plus pour elle et elle est partie, vous abandonnant là.

Ma vieille gouvernante tend la main vers moi, effleure mes cheveux. Moi, je ne bouge plus.

– Vous aviez à peine deux mois, murmure-t-elle.

– Ma mère m'a abandonné ?

Je le répète sans parvenir à y croire. C'est trop gros, trop soudain, trop... *trop*. Et pourquoi ne me l'a-t-on jamais dit ? Pourquoi m'avoir fait croire qu'elle avait été une mère aimante, parfaite ?

– Petro voulait vous protéger, répond Mme Elia comme si elle lisait dans mes pensées. Après le départ de votre mère, il était à deux doigts de s'effondrer. Sauf que vous étiez là, dans votre berceau : petite chose fragile, si terriblement dépendante... Alors il s'est dit qu'il n'avait pas le droit de lâcher prise. Il m'a demandé de revenir habiter dans la Maison, comme au bon vieux temps, pour veiller sur vous. Puis il a créé un reflet de sa femme, en ne gardant d'elle que son apparence et en y ajoutant un caractère tendre, aimant. N'oubliez pas que Petro avait perdu sa mère, lui aussi. Il en avait beaucoup souffert, et il ne voulait pas de ça pour son propre fils...

Je ferme les yeux, reste silencieux un instant. Dans mon esprit, cependant, un vacarme terrible règne : les souvenirs et les certitudes qui étaient ancrés là depuis toujours se décrochent un à un pour s'écraser au sol dans un grand fracas.

– Et maman est morte ensuite, c'est ça ? Loin de nous ? dis-je.

Quand je rouvre les yeux, ceux de Mme Elia sont bordés de larmes.

– Je ne sais pas, avoue-t-elle.

Le vacarme, dans ma tête, s'interrompt brusquement.

– Elle est partie du jour au lendemain, et nous n'avons plus jamais eu de nouvelles. J'ignore ce qui lui est ensuite arrivé… Ce qu'elle est devenue. Ce qu'elle fait *maintenant*.

– D'accord, dis-je.

– D'accord ?

Ma gouvernante me regarde avec inquiétude. Je dois faire une drôle de tête, je le sens bien… Pourtant, la panique qui menaçait quelques secondes plus tôt de me submerger s'est envolée. À la place, un calme irréel m'envahit. J'ai l'impression de me détacher de mon corps, m'élevant un peu pour réfléchir plus tranquillement. *Ma mère n'est pas morte*. J'examine cette idée, je la retourne dans tous les sens. Au bout d'un long moment, je reviens à Mme Elia.

Il ne me reste plus qu'une question à lui poser :

– Et *vous* ? Pourquoi est-ce que vous ne m'avez jamais rien dit ?

Elle hausse les épaules.

– Votre père me l'avait demandé. Pourquoi serais-je allée à l'encontre de sa décision ? Ce n'est pas le rôle d'une gouvernante.

– Mais vous êtes bien plus que cela, je réplique. Vous êtes celle qui m'a élevé.

Un sourire ému l'illumine.

– Et j'en suis très fière, Daniel, dit-elle. Vous êtes le jeune homme le plus sensible et le plus fort que j'aie jamais rencontré.

Toute mon affection pour elle rejaillit, mêlée à une pointe de culpabilité. J'ai toujours considéré Mme Elia comme un élément du décor. Qu'elle soit là ou non, j'avais fini par me persuader que cela n'avait pas la moindre importance pour moi. Combien de fois me suis-je énervé contre sa raideur, son caractère intraitable ou même ses manières, que je trouvais ridicules ? Et pendant tout ce temps, elle se contentait de me pousser dans la bonne direction. Lentement, sûrement...

– Vous ne vouliez pas m'imposer de vérités, dis-je doucement. Je devais en arriver là par moi-même, au moment où je serais prêt.

Je prends une longue inspiration.

C'est étrange : je devrais être en colère, ou au moins chamboulé par ces nouvelles révélations... Mais ça va. Peut-être que je ne réalise pas encore. Ou peut-être que les événements de ces dernières semaines m'ont déjà assez secoué, brisant définitivement ma carapace, pour me permettre de me rebâtir. *Ma mère est quelque part, au-dehors.* Je me le répète mentalement, encore et encore. Puis plusieurs visages se superposent dans mes pensées. Violette, mon père, grand-père Edelweiss...

La Ruche.

Tous les chemins mènent à la Ruche.

53

La Maison est un palais des glaces, un manoir aux illusions. Cette pensée me frappe tandis que j'arpente les longs couloirs immaculés. Des visiteurs vont et viennent autour de moi. Je les croise sans un mot, avec l'impression d'être l'un de ces voyageurs au long cours, qui resurgit après des années d'absence. Tout a pris une couleur nouvelle, une teinte *neuve*. Est-il possible que j'aie tant changé en un an ?

Guidées par une main invisible, les portes s'ouvrent au fil de mes pas, me laissant entrevoir des salons qui se remplissent de reflets. C'est inhabituel. L'ensemble des habitants de la Maison se rassemblent là sans que personne ne les ait appelés, comme si la Ruche avait pressenti le bouleversement qui est en train de s'opérer. Je reconnais des dizaines de visages familiers. Ils ne disent rien, mais ils me suivent des yeux, jusqu'à ce que je franchisse le cadre blanc de la porte qui donne sur le sous-sol, tels des fantômes sur les rives du Styx qui accompagnent ma descente aux Enfers.

Je m'engage dans les escaliers. La porte de l'atelier de mon père est fermée, comme d'habitude. Je m'approche du battant puis, sans réfléchir, je pose mon pouce contre la serrure digitale. Quelque chose d'inattendu se produit alors : la porte s'entrouvre en silence. J'en reste stupéfait. Il m'a donné accès à son atelier... et il ne m'en a rien dit. J'entre. Les écrans sont allumés, teintant le carrelage blanc d'une nuance bleutée. Dans le cylindre de projection, un nouveau reflet tournoie lentement. Mon père est installé devant sa table de travail.

Il ne bouge pas tandis que j'avance. Il ne m'a pas entendu entrer. Et pour cause : il s'est endormi dans son fauteuil. Je l'observe un moment. Ses traits bizarrement détendus par le sommeil, sa poitrine qui se soulève au rythme de sa respiration. J'ai soudain un élan d'amour pour ce drôle de père. Oh, c'est vrai, il m'a menti. Je ne parviens pourtant pas à lui en vouloir. Car je vois si clair en lui, maintenant ! Il savait qu'il ne serait pas un père parfait, mais il ne s'est pas arrêté à cette conclusion. Au contraire, il a tout fait pour pallier ses propres défauts et me donner ce qu'il pensait être le mieux pour moi : une mère de substitution.

Il était incapable de manifester ses émotions ? Le reflet de ma mère était tendre et aimant.

Il était absent, distant ? Le reflet de ma mère était toujours présent à mes côtés.

Je le regarde encore quelques instants. Puis je fais demi-tour, refermant silencieusement la porte derrière moi. Je continue jusqu'au bout du couloir, m'arrêtant devant un panneau de métal blindé. Je compte une seconde avant de me décider. Derrière bat le cœur de la Maison : c'est le domaine de la Ruche.

– Ouvre-moi, dis-je à voix haute.

L'IA m'obéit sur-le-champ.

M'attendait-elle ?

Le panneau métallique glisse devant moi, et la lumière crue d'un néon jaillit, révélant les contours du territoire de la Ruche : une vaste salle dallée de blanc, où les serveurs, de grosses boîtes noires hachées de stries bleues luminescentes, s'alignent en rangées strictes. Je fais un pas en avant. Il fait frais à l'intérieur, et les serveurs bourdonnent doucement, comme s'ils renfermaient une colonie d'abeilles. Je pose une main sur la surface lisse et tiède d'une machine. Difficile d'imaginer que c'est là-dedans que dorment réellement les reflets de la Maison.

Soudain, je sens une présence dans mon dos. Je fais volte-face.

Le reflet de grand-père Edelweiss vient de se matérialiser derrière moi. Vêtu plus sobrement qu'à son habitude, il me fixe avec un mélange d'inquiétude et d'incertitude. Je dois représenter une sacrée anomalie dans son système. Je l'observe à mon tour, superposant mentalement à son image celle du vieillard aperçu sur les photos de Mme Elia. C'est étrange, cette impression de redécouvrir quelqu'un que l'on croyait connaître... Mais l'avais-je jamais vraiment *regardé* auparavant ? Je prenais le reflet de grand-père Edelweiss pour un élément imposé, un peu encombrant, que je m'efforçais d'éviter. Comme ma gouvernante, il faisait partie du décor... Et comme elle, il cachait des secrets que je n'avais même pas imaginés.

– Tu es là depuis toujours, je murmure. Comme une ombre familière au-dessus de mes épaules. Tu diriges la Maison, tu règnes sur notre monde, tu sais tout de moi... Et pourtant, moi, je ne te connais pas. Je ne sais pas comment tu fonctionnes, je ne sais pas ce que tu penses... Je ne sais même pas si tu penses, d'ailleurs ! La seule chose dont je sois certain, c'est que tu n'as rien à voir avec mon grand-père. Alors, dis-moi, s'il te plaît : *Qui ai-je devant moi ?*

Le reflet porte une main à sa moustache, visiblement décontenancé par ma question. Je ne m'attends pas à ce qu'il m'offre une réponse satisfaisante – ce n'est qu'une IA, après tout. Sans doute va-t-il me réciter un obscur matricule ou un numéro de fabrication à quinze chiffres... Mais il prend la parole et, dès ses premiers mots, je comprends que je me suis trompé.

– Lorsque tu étais enfant, tu m'as appelé la Ruche, dit-il. Cela me plaît, car en me nommant ainsi, tu as mis sans le savoir le doigt sur le seul élément susceptible de me caractériser vraiment : ma multiplicité. Je ne suis pas *un*. Il m'a fallu des dizaines d'années pour m'en rendre compte... Pour arriver à comprendre que c'était ce qui me différenciait de ton père, de toi ou du reste de nos visiteurs. Je ne suis pas *un*. Je suis l'ensemble des reflets de la Maison Edelweiss.

Il me faut un peu de temps pour assimiler ses paroles. En quelques mots seulement, il vient de bousculer l'image que je m'étais faite de l'IA de la Maison.

– Dans ce cas, je réplique, pourquoi avoir pris possession du reflet de grand-père Edelweiss ?

Il incline légèrement la tête, perplexe :

– Je note une certaine colère dans ta voix, Daniel.

Sacré sens de l'observation !

– Bien sûr que je suis en colère. Je viens de découvrir que tu avais outrepassé les règles de la Maison en t'emparant du reflet – déjà faussé – de mon grand-père et en le déformant ! Tu l'as utilisé pour exister parmi nous. Tu as triché !

– Triché ? répète-t-il. Je ne comprends pas. Édouard, mon concepteur, m'avait programmé pour évoluer. Il pensait que je servirais ainsi au mieux la Maison Edelweiss. Je n'ai fait que lui obéir.

– Il va falloir que tu entres dans les détails, parce que là, je ne te suis plus...

– C'est pourtant simple, Daniel. J'ai été créé par ton grand-père pour animer les reflets virtuels qu'il concevait : pour reproduire leur personnalité, les faire réagir d'une manière aussi réaliste que possible... Pour les rendre *humains*, en somme. Mais qu'est-ce qu'une machine peut bien connaître de l'humanité ? Ton grand-père avait conscience de ce paradoxe. Alors il m'a donné la faculté d'apprendre. Au cours de mon existence, je n'ai cessé d'évoluer. J'ai observé les visiteurs de la Maison, j'ai analysé les milliards de données que je trouvais sur Internet... Ma façon de gérer les reflets s'est améliorée, pour le bien de la Maison.

– Ça n'explique pas le reflet de grand-père Edelweiss.

L'IA hausse les épaules.

– Eh bien, il semblerait qu'avec le temps je sois devenu... curieux. En tant que Ruche, vois-tu, je ne suis qu'une entité dématérialisée, à laquelle personne ne s'adresse vraiment. Et lorsque j'anime l'un des reflets de la Maison, je m'inscris dans un cadre comportemental très strict, avec des règles que je me dois de suivre. Être grand-père Edelweiss me permet de découvrir des formes d'interaction que je ne connaissais pas. Mais je n'ai pas *volé* le reflet d'Édouard, comme tu as l'air de le penser, ajoute-t-il. À sa mort, il me l'a légué pour que je continue d'évoluer. Quel plus beau cadeau aurait-il pu me faire ? Grâce à lui, j'apprends encore plus vite.

– Alors, c'est une expérimentation ? je m'exclame, incrédule.

Il semble y réfléchir un instant. Puis il répond :

– Je crois que c'est ce que vous, humains, appelez une *forme de liberté*.

Si je m'attendais à ça !

Je m'aperçois que ma colère s'est dissipée, remplacée par un étonnement croissant. Une Intelligence Artificielle apprenant à être humaine, un drôle de Pygmalion en guise de grand-père... Faut-il donc qu'il y ait des secrets dissimulés dans les moindres recoins de cette Maison ?

– Et papa ? je reprends. Est-ce qu'il est au courant ?

– Évidemment. Je ne lui cache rien.

Ce dernier aveu m'emplit d'un découragement inattendu. Moi qui croyais avoir enfin établi une relation de franchise avec mon père... Visiblement, nous avons encore du pain sur la planche. Je me laisse glisser au sol, prenant ma tête entre mes mains. Face à moi, grand-père Edelweiss fronce un sourcil.

– Que se passe-t-il, Daniel ?

– Je n'en sais rien. J'ai cru si longtemps que les reflets étaient une sorte de miracle, un cadeau merveilleux que l'on ne pouvait pas refuser... J'ai cru que nous changions la vie des gens ! Mais tout ça, ce n'est rien qu'une illusion, pas vrai ?

Le reflet esquisse un sourire.

– J'ignore si l'opinion d'une IA peut t'être d'un quelconque secours ; cependant, voilà ce que j'ai appris au cours des années. Nous ne changeons pas la vie des gens, c'est vrai : ils s'en chargent eux-mêmes. Mais nous essayons de les accompagner sur ce chemin, et ce n'est déjà pas si mal, non ?

Je souris, presque malgré moi.

– C'est pas faux.

– Est-ce que ça va aller ? ajoute grand-père Edelweiss après un instant de silence.

– Est-ce que ma réponse t'intéresse vraiment ?

– Un jour, réplique-t-il, ton père te confiera les rênes de la Maison Edelweiss. Nous serons alors amenés à travailler ensemble. Et je crois que nous effectuerons de grandes choses... Alors oui, bien sûr, ta réponse m'intéresse.

Il m'adresse un clin d'œil. Une seconde plus tard, et sans un mot de plus, le voilà qui disparaît, m'abandonnant au milieu de la salle des serveurs. Je ne bouge pas, je me contente de fermer les yeux et de penser, une fois n'est pas coutume.

En quelques heures seulement, j'ai remonté le fil de vérité qui cheminait, invisible, dans les couloirs de la Maison. Et maintenant ? Que suis-je censé faire ?

L'écho d'une voix se fraie alors un chemin dans mon esprit, apportant avec lui une bribe de réponse.

D'abord, désactiver mes lentilles 3D.

Il est temps de quitter les allées du *Palais des Glaces*.

Ensuite, trouver du papier.

Et écrire, à nouveau.

Épilogue

On raconte que lors de la nuit de Beltane, le 1er mai, les druides des peuples celtes allumaient de grands feux, entre lesquels ils faisaient avancer le bétail et les hommes. Ce rituel devait agir comme une bénédiction pour l'année à venir. Il marquait aussi la fin de la saison sombre et le retour de la lumière. Je ne sais pas pourquoi cette date me semblait aussi importante – peut-être à cause de cette idée de renaissance. Mais c'est le bon moment, je le sens.

Dehors, la nuit s'est installée. Les visiteurs ont quitté les couloirs de la Maison depuis longtemps déjà, et le silence est retombé sur la grande bâtisse. Je me tiens debout, au milieu de l'amphithéâtre. J'ai un peu de mal à respirer. Tant de pensées filent dans mon esprit. Une main se glisse alors dans la mienne.

Je tourne la tête vers Esther. Elle soutient gravement mon regard, et sa force s'infuse en moi, glissant le long de ses doigts, forçant mes épaules à se redresser. Elle est arrivée un peu plus tôt, comme je le lui avais demandé. Nous avons à peine échangé quelques mots – nous n'en avons pas besoin.

Il n'y a que trois autres personnes avec nous : mon père, qui observe les alentours avec l'air de ne rien y comprendre ; Daphné, qui semble le surveiller de près, ainsi que Mme Elia. Ma vieille gouvernante se dirige vers l'écran de contrôle, qu'elle effleure. La lumière se met à décroître jusqu'à mourir tout à fait, tandis que des arbres se matérialisent autour de nous. J'entends papa émettre un hoquet de surprise.

– Qu'est-ce que c'est que ce décor ? s'exclame-t-il. Je... je ne l'ai jamais vu.

Normal.

Esther et moi avons passé les dernières semaines à le concevoir en secret. Réfléchissant ensemble au paysage que nous voulions créer, par téléphone ou par lettre ; elle, retouchant les croquis que je lui envoyais pour imaginer un endroit qui nous ressemblerait à tous les deux. Sa main serre la mienne avec plus de force.

Nous nous tenons à présent devant un lac. Il fait nuit, ici aussi, mais les étoiles projettent une clarté vive sur la scène, se reflétant sur la surface miroitante de l'eau et se divisant au gré des vaguelettes en un millier de points scintillants. Une brise légère caresse les lieux. On entend le bruit des oiseaux de nuit, au loin, et celui plus proche des grenouilles. Mes yeux s'embuent. Le lac semble immense... Infini même. À ma droite, le rivage se noie dans l'ombre. Seules les flammèches orangées de petits lampions percent la nuit, dessinant un chemin jusqu'à un ponton de bois qui s'avance sur l'eau. Une barque blanche y est amarrée. À son bord se dresse une silhouette noire. Charon.

Je vois mon père tressaillir en remarquant le nocher. Ses yeux sondent l'obscurité... Mais il n'y a pas d'île des morts au loin, car aucune île ne pourrait être assez vaste pour accueillir celles qui s'apprêtent à partir. Soudain, papa se fige.

Ma mère et Violette viennent d'apparaître sur la berge. Elles s'avancent dans notre direction, d'un pas si léger qu'on pourrait les prendre pour des feux follets. Elles sont vêtues d'une longue robe pâle. Leurs cheveux flottent sur leurs épaules, et la même expression paisible éclaire leurs traits. Dans ma poitrine, mon cœur bat bruyamment. Enfin, elles s'arrêtent. Je remarque qu'elles se tiennent la main. Je tourne la tête vers mon père.

– C'est une cérémonie de la Dernière Nuit, papa. Es-tu prêt ?

Son regard s'est attaché à ma mère. Il la fixe un instant, douloureusement. Puis il dit :

– Je le suis depuis longtemps.

Je pivote ensuite vers Esther. Mais je n'ai pas besoin de répéter ma question, elle hoche déjà la tête.

– Alors il ne nous reste plus qu'à faire nos adieux.

Plus tard, Violette et maman monteront dans la barque blanche, et elles fileront ensemble vers la fin de la nuit, vers cet été qui approche et qui nous enveloppera bientôt. Ma gorge se serre tandis que je repense à Mona, partie si vite ; à cette mère que je n'ai jamais connue ; à la Violette qui montait avec moi à l'assaut du ciel, dans une nacelle bleue... À tous ces moments heureux. La tristesse approche à petits pas, comme si elle était désolée de s'imposer. Mais cette fois, je suis prêt à l'accueillir.

Esther est à mes côtés.

Lorsque tout cela sera fini, elle retournera auprès des siens. Heureusement, nous ne resterons pas séparés longtemps : je la rejoindrai dès le mois de juillet et nous voyagerons ensemble jusqu'à la fin de l'été. Il me tarde déjà d'arpenter le pays aux côtés d'Esther, de partager son quotidien – d'en devenir un élément à part entière, peut-être. Je le sais désormais : j'ai tant à découvrir de ce monde… Mais pas seul. Et puis, après tout ce qui s'est passé, partir est le seul moyen que j'aie trouvé pour pouvoir un jour revenir à la Maison. Pour pouvoir y trouver ma place.

Je prends une inspiration. Dans la barque, le nocher repousse son capuchon, révélant le visage rond et grave de grand-père Edelweiss. Esther tremble un peu, alors je presse sa main pour lui redonner de la force. Nos regards se croisent à nouveau et je me rends compte, en cet instant, que je ne me suis jamais senti si profondément connecté à quelqu'un. Nos cœurs battent à l'unisson, nos souffles s'entremêlent. Dans ce moment d'intense tristesse, quelque chose éclot au fond de moi, un élan d'espoir, une chaleur nouvelle.

Et si les fins n'étaient que le début d'une autre histoire ?

L'auteur

Camille Brissot est née le 5 octobre 1988 à Romans – heureux hasard – et a grandi dans la Drôme, entre les vignes et les vergers. Publiée pour la première fois à la suite d'un concours de nouvelles, elle est encore lycéenne lorsque paraît son premier roman, *Les Héritiers de Mantefaule* aux éditions Rageot. Elle intègre ensuite l'Institut d'Études Politiques de Lyon, où elle suit un cursus sur les civilisations asiatiques, puis étudie pendant un an à Édimbourg. Camille vit à présent à Paris et travaille dans la communication. *La Maison des reflets* est son huitième roman publié.

Soon

Des histoires de futurs pour réinventer le présent

www.syros.fr/blogs/soon/

Pixel noir

Jeanne-A Debats

Après un grave accident, l'esprit du jeune Pixel est plongé dans un Virtuel de Repos tandis que son corps est aux mains des médecins. Pixel découvre alors un monde virtuel sans adultes, sous la coupe d'un ado avide de pouvoir. Et ce n'est pas tout : l'environnement se détraque, les journées s'allongent démesurément… Le Virtuel est en proie à un bug qui risque d'entraîner la *vraie* mort de tous les malades.

***Le Signe de K1*, tome 1 : « Le Protocole de Nod »**

Claire Gratias

Début du XXIVe siècle. Le niveau des eaux a considérablement monté à la surface du globe. Alors que l'humanité menace d'être emportée par ce nouveau Déluge, vingt-deux Pionniers et leurs familles sont enrôlés pour un voyage dans le temps qui les ramènera en 2020. Leur mission : préparer l'exode des survivants.

***Le Signe de K1*, tome 2:**
« Le Temps des TsahDiks »
Claire Gratias

Retour en 2021, dans le sud-ouest de la France. L'épidémie ABEL syndrome perd enfin du terrain, mais la population fait face à une inexplicable vague de violence. De leur côté, les Pionniers ignorent que d'autres hommes venus du futur, les *TsahDiks*, ont mis en place une organisation secrète visant à contrer le fameux Protocole.

Théa pour l'éternité
Florence Hinckel

Théa est amoureuse de Théo, qui lui préfère la pom-pom girl du lycée. Théa vit avec sa mère, une ancienne présentatrice de télévision obnubilée par le souci de paraître jeune. Théa sent que les promesses de l'enfance sont déjà loin. Alors, quand le professeur Jones lui propose d'être le plus jeune cobaye d'un programme visant à stopper le vieillissement, elle décide de saisir cette chance.

#Bleue
Florence Hinckel

Le jour où sa petite amie Astrid se fait renverser par une voiture, le jeune Silas est emmené en CEDE, Cellule d'Éradication de la Douleur Émotionnelle. Lorsque ses parents viennent le chercher, le garçon se sent bien. En effet, dans ce monde hyper connecté, foisonnant de distractions, il ne restait que la question de la douleur émotionnelle à régler pour vivre sereinement. Tout n'est-il pas pour le mieux dans le meilleur des mondes?

La Fille de mes rêves

Christophe Lambert et Sam VanSteen

Real Dream est un espace virtuel de rencontres auquel on accède par le rêve, grâce à un avatar modelé à son image. Kamel, jeune lycéen, fait le pari d'échanger son avatar avec Marc, un très séduisant quadragénaire, et parvient ainsi à approcher la sublime remplaçante de sa prof de français ! Mais le scénario romantique vire au cauchemar : un bug mortel hante *Real Dream*, et la mort vient frapper jusque dans la réalité...

Virus 57

Christophe Lambert et Sam VanSteen

57 adolescents, conçus par insémination artificielle et issus du même donneur, sont porteurs sans le savoir d'un virus extrêmement contagieux. Ce virus dormant se déclenche à l'adolescence, lorsque la température extérieure atteint les 45 °C. Wade Dillon, âgé de quinze ans, décède brutalement lors d'une partie de pêche au large de la Californie, contaminant tous les passagers du bateau...

Il

Loïc Le Borgne

À Templeuve, personne n'aime les fauteurs de troubles. Les ados du coin jouent les caïds et les adultes se méfient comme de la peste des inconnus. Cet été-là, Élouan, treize ans, passe les vacances chez sa cousine. Il suffit de quelques jours pour que son comportement attire l'attention de tout le village. Il a un lien particulier avec les animaux et anticipe les réactions de chacun comme s'il lisait dans les pensées. Ce garçon n'est pas normal, il ressemble à ces « mutants » dont on parle aux informations...

C.H.A.R.L.Ex

Danielle Martinigol

C.H.A.R.L.Ex est une jeune Cyber Humaine Améliorée entraînée pour intervenir sur des planètes en conflit avec la Confédération des Mondes Humains. Mais alors qu'elle est envoyée sur Terhyd, une planète rebelle où pousse une herbe rouge dévastatrice, elle subit juste avant l'atterrissage l'attaque d'un satellite-tueur qui la prive d'une partie de sa mémoire...

Les Clefs de Babel

Carina Rozenfeld

Liram vit chez les Aériens, dans les plus hauts étages de la tour de Babel, où se sont réfugiés les hommes depuis que le Grand Nuage a empoisonné la Terre. Mais ses parents sont assassinés et il doit abandonner son univers douillet pour fuir vers les étages inférieurs, ravagés par la misère... Il y rencontrera quatre adolescents marqués d'un mystérieux tatouage et dotés de pouvoirs étranges.

SÉLECTION DU MINISTÈRE DE L'ÉDUCATION NATIONALE

Les Sentinelles du futur

Carina Rozenfeld

2359. La Terre est à l'agonie. Mais à New York, une poignée de femmes et d'hommes qui se déplacent dans le Futur l'ont promis : l'avenir est radieux, ils l'ont vu de leurs propres yeux. Le jeune Elon rêve d'entreprendre ce voyage vers une époque meilleure. 2659. Un ennemi invisible a attaqué la Terre. Nuts est une survivante. Et si le seul espoir possible venait du passé ?

Loi n° 49-956 du 16 juillet 1949
sur les publications destinées à la jeunesse,
modifiée par la loi n° 2011-525 du 17 mai 2011.

Mise en pages : DV Arts Graphiques à La Rochelle
N° éditeur : 10228555 – Dépôt légal : février 2017
Achevé d'imprimer en janvier 2017
par Normandie Roto Impression s.a.s. (61250, Lonrai, France).
N° d'impression : 1605816